Un amour impossible

DU MÊME AUTEUR

Un tournant de la vie, Flammarion, 2018.

La petite foule, Flammarion, 2014 ; J'ai lu, 2017.

Une semaine de vacances, Flammarion, 2012 ; J'ai lu, 2013.

Les Petits, Flammarion, 2011 ; J'ai lu, 2012.

Le Marché des amants, Seuil, 2008 ; Points, 2009.

Rendez-vous, Flammarion, 2006 ; Folio, 2008 ; J'ai lu, 2016.

Othoniel, Flammarion, 2006.

Une partie du cœur, Stock, 2004 ; Le Livre de poche, 2006.

Les Désaxés, Stock, 2004 ; Le Livre de poche, 2006.

Peau d'âne, Stock, 2003 ; Le Livre de poche, 2005.

Pourquoi le Brésil ?, Stock, 2002 ; Le Livre de poche, 2005 ; J'ai lu, 2017.

Normalement suivi de *La Peur du lendemain*, Stock, 2001 ; Le Livre de poche, 2003.

Quitter la ville, Stock, 2000 ; Le Livre de poche, 2002.

L'inceste, Stock, 1999, 2001 ; Le Livre de poche, 2007, 2013 ; J'ai lu, 2017.

Sujet Angot, Fayard, 1998 ; Pocket, 2000.

L'Usage de la vie, incluant *Corps plongés dans un liquide*, *Même si*, *Nouvelle vague*, Fayard, 1998.

Les Autres, Fayard, 1997 ; Pocket, 2000, Stock, 2001.

Interview, Fayard, 1995 ; Pocket, 1997.

Léonore, toujours, Gallimard, 1993 ; Fayard, 1997 ; Pocket, 2001 ; Seuil, 2010 ; J'ai lu, 2016.

Not to be, Gallimard, 1991 ; Folio, 2000.

Vu du ciel, Gallimard, 1990 ; Folio, 2000.

CHRISTINE ANGOT

Un amour impossible

suivi de

Conférence à New York

Retrouvez le fichier audio de *Conférence à New York*
à l'adresse suivante :

https://soundcloud.com/editions-jailu/conference-a-new-york-
christine-angot-france-culture

© Christine Angot, Flammarion, 2015.

Mon père et ma mère se sont rencontrés à Châteauroux, près de l'avenue de la Gare, dans la cantine qu'elle fréquentait, à vingt-six ans elle était déjà à la Sécurité sociale depuis plusieurs années, elle a commencé à travailler à dix-sept ans comme dactylo dans un garage, lui, après de longues études, à trente ans, c'était son premier poste. Il était traducteur à la base américaine de La Martinerie. Les Américains avaient construit entre Châteauroux et Levroux un quartier, qui s'étendait sur plusieurs hectares, de petites maisons individuelles de plain-pied, entourées de jardins, sans clôture, dans lesquelles les familles des militaires vivaient. La base leur avait été confiée dans le cadre du plan Marshall, au début des années cinquante. Quelques arbres y avaient été plantés, mais quand on passait devant, de la route, on voyait une multitude de toits rouges à quatre pentes, disséminés sur une large plaine sans obstacle. À l'intérieur de ce qui était un véritable petit village, les allées, larges et goudronnées, permettaient aux habitants de circuler dans leur voiture au ralenti, entre les maisons et l'école, les bureaux et la piste d'atterrissage. Il y avait été embauché à sa sortie du service militaire, il n'avait pas l'intention de rester. Il était de passage. Son père, qui était directeur chez Michelin, voulait le convaincre de travailler pour le Guide Vert, lui se voyait bien faire une carrière de chercheur en linguistique, ou d'universitaire. Leur famille habitait Paris depuis des générations, dans le dix-septième arrondissement, près du parc Monceau, était issue de Normandie. De père en fils on y avait souvent été médecins, on y était curieux du monde, on y avait la passion des huîtres.

Il l'a invitée à prendre un café. Et quelques jours après à danser. Ce soir-là, elle devait aller à un bal dit « de société » avec une amie. Organisés par un groupe ou une association qui louait un orchestre et une grande salle, les bals de société, à la différence des dancings, fréquentés des Américains mais aussi des prostituées, attiraient les jeunes gens de Châteauroux, celui-là avait lieu dans une grande salle d'exposition de la route de Déols, le parc Hidien. Mon père n'en avait pas l'habitude.

— Oh moi je ne vais pas dans ce genre de chose... Nous sortirons ensemble un autre soir. Je vais rester chez moi. J'ai du travail...

Elle y est allée avec son amie, Nicole, et le cousin de celle-ci. La soirée était déjà bien entamée quand au loin à travers la foule, elle l'a vu se frayer un chemin. Il avançait vers leur table. Il l'a invitée à danser, elle s'est levée, elle portait une jupe blanche avec une ceinture large. Ils se sont faufilés en direction de la piste, en arrivant sur le parquet il a souri, elle était prête à se glisser dans ses bras, il a pris sa main pour la guider, et la faire évoluer parmi les danseurs. À ce moment-là l'orchestre s'est mis à jouer les premières mesures de : « Notre histoire c'est l'histoire d'un amour ».

C'était une chanson qu'on entendait partout. Dalida venait de la créer. Elle la chantait avec intensité, en mêlant le tragique à la banalité. Son accent oriental arrondissait les mots, les étirait en même temps, sa voix grave enveloppait les sons et leur donnait une substance particulière, l'ensemble avait quelque chose d'envoûtant. Et pour mieux emporter les gens, la chanteuse de l'orchestre se coulait dans l'interprétation d'origine.

— « Notrre histoirreu, c'est l'histoirreu d'un ammourr

Éterrrnell et banall qui apporrrteu, chaqueu jourr

Tout le bien tout le mall... »

Ils ne se parlaient pas.

— « C'est l'histoirreu qu'on connaît... »

La piste était pleine, c'était une chanson très connue.

— « Ceux qui s'aimment jouent la mêmme, je le sais

Ma complainneteu c'est la plainneteu, de deux cœurrs

C'est un roman comme tant d'autrres, qui pourrait être le vôtrre

C'est la flamme qui enflamme, sans brrûler

C'est le rrêve queu l'on rrêve, sans dorrmirr

Monne histoirreu c'est l'histoirreueu... d'un... ammourr. »

Pendant toute la chanson, ils se sont tus.

— « ... avec l'heurrre où l'on s'enlasssse, celle où l'on seu ditttadieu

Avec les soirées d'angoisssse, et les matins... merrrveilleux...

Et trrragique ou bien profonnedu, c'est la seule histoirrre du monnedeu,

Qui ne finirrra jamais

C'est l'histoirreu d'un ammourrr... »

Ils ne se regardaient pas.

— « ... mais naïve ou bien profonnedu, c'est la seule histoirre du monnedeu,

Notrre histoirreu c'est l'histoirreueu... d'un ammourrrr. »

La chanson s'est terminée. Ils ont repris de la distance. Et ils ont retraversé la salle en direction de la table. Elle lui a présenté Nicole et son cousin.

Ils ont commencé à se voir. Ils allaient au cinéma, au restaurant, à des soirées dan-santes, le week-end ils sortaient, il louait une voiture, et ils partaient. Les jours de semaine, il passait la chercher à son bureau, ou bien il allait chez elle. Très vite, ils se sont vus tous les jours.

Elle découvrait un monde.

Un monde d'intimité, de paroles constantes, de questions, de réponses, la moindre impression était fouillée, personnelle et détaillée. Les détails inattendus, les mots nouveaux. Les comparaisons, surprenantes, inédites, à contre-courant, osées. Des idées qu'elle n'avait jamais entendu exprimer. Il balayait les convenances d'un air naturel. Et il décrivait tout ce qu'il voyait, les lieux qu'ils traversaient, les paysages dans lesquels ils marchaient, les gens qu'ils croisaient, avec une précision telle que ça gravait ce qu'il disait en elle. Il lui expliquait qu'il avait fait le choix de la liberté, il ne critiquait pas la façon dont les autres vivaient, mais il s'en écartait. Certaines choses le mettaient hors de lui, d'autres qui la choquaient le faisaient rire ou l'attendrissaient. Dieu, qu'elle avait toujours pensé au-dessus d'elle, n'existait pas pour lui, la religion était faite pour les esprits faibles. À l'époque, c'était un sujet qui importait.

Pour avoir la paix il suffisait de faire une ou deux concessions à la société. Ça avait le double avantage de ne pas blesser les gens, et de récolter le moment venu ce qu'ils avaient à vous apporter. Elle mettait les propos qui la dérangeaient sur le compte de sa personnalité non conventionnelle. Il s'arrêtait au milieu d'un sentier, la regardait, et soulignait la singularité de son intelligence, en amoureux et en expert, il parlait d'elle avec la même passion que d'un auteur qu'il admirait. La pertinence de ce qu'elle disait n'avait rien à voir pour lui avec le fait qu'elle n'ait pas fait d'études. Il dressait une liste de gens instruits qui étaient des imbéciles, en dépit de leur position publique élevée. Pour la faire profiter de son expérience, il lui expliquait qu'il fallait les flatter, car pour vivre libre il fallait être seul, et seul à savoir qu'on l'était.

La radio était allumée, tout à coup il se mettait en colère. Il critiquait les propos qu'on y entendait, des otages, pleurant à chaudes larmes, demandant à leur pays d'origine de les sauver, il les méprisait de faire prévaloir l'intérêt personnel sur l'intérêt public. D'une manière générale, les sentiments collectifs le laissaient froid, les éruptions volcaniques, les tremblements de terre qui causaient des milliers de pertes humaines, tout ça était pris dans les statistiques, ça ne comptait pas au titre d'informations. C'était la première fois qu'elle entendait ça.

Il la regardait fixement sans battre un cil, jusqu'à ce que, d'émotion, il soit obligé d'abaisser les paupières, bouleversé par son sourire. Elle avait un sourire doux. Mais jamais naïf. Son visage était rayonnant, mais réservé. Ses yeux étaient vifs, verts, pétillants, mobiles, mais fragiles, petits, cassés. Il lui parlait de la hauteur de ses pommettes, de la franchise de ses traits, de l'élégance de ses lèvres, de ce sourire qui transformait tout, et de son cou, de ses épaules, de son ventre, de ses jambes, de la douceur de sa peau, en cherchant le mot qui collait à ce qu'il voyait. Il se concentrait sur la sensation que ses mains éprouvaient quand il la caressait. Ses doigts s'attardaient sur une zone précise, pour trouver quelle matière exacte la texture de ce petit espace évoquait.

— La soie. C'est de la soie ta peau.

La lecture de Nietzsche avait bouleversé sa vie. Après avoir fait l'amour, il lui en lisait couché quelques pages, elle posait sa tête dans le creux de son épaule, la joue sur son torse elle écoutait. Puis ils sortaient, ils allaient dans la forêt du Poinçonnet, ils marchaient dans les allées en se tenant par la main. Ils se sont connus à la fin de l'été.

— Comme tu as les mains douces Rachel, c'est merveilleux. Elles ne sont pas seulement belles, c'est du velours. Tu as un véritable fluide.

— Ah tu crois ?

— Je n'ai jamais connu ça. Ce n'est pas seulement la douceur de ta peau, qui est extraordinaire. Tu as un fluide, Rachel, je t'assure. Comme Iseult. Tu fais boire un philtre à ton amant toi aussi. Dans le creux de tes mains.

Il glissait ses doigts dans les siens comme les ailes au repos d'un petit oiseau, à abri dans un étui. Puis :

— Attends Rachel.

Il les retirait, il les faisait bouger dans l'air, pour leur faire oublier la sensation de velours qu'ils venaient de quitter. Il marchait quelques minutes les mains dans les poches, ou le long du corps, à côté d'elle, tranquillement, sans la toucher. Puis il remettait sa main dans la sienne, doucement, il la reglissait dans la paume soyeuse, qui se refermait sur elle sans la serrer.

— Ce moment, où je te donne la main. Ce moment précis, le moment lui-même. Où je glisse ma main dans la tienne. Cet instant-là. C'est un tel plaisir. Ces quelques secondes. Ahhhh... C'est merveilleux.

Il fermait les yeux, pour mieux sentir, elle riait.

— Humm, elles sont chaudes.

Elle se limait les ongles en ovale, les laquait avec un vernis orangé, ses doigts étaient longs, blancs, ses mains étaient grandes et fines, sa peau avait la couleur d'un thé clair, en transparence on voyait les veines.

Parfois, la seule chose qui semblait le préoccuper était le couple qu'ils formaient. Il lui en faisait remarquer la rareté, et la chance qu'ils avaient. Il passait la chercher à son bureau. Appuyé au mur d'en face, il lui souriait. Ils prenaient la rue Victor-Hugo, contournaient un petit building de huit étages, qui marquait le centre-ville et le dominait, ils traversaient la place Gambetta, et ils arrivaient rue Grande où il louait une chambre.

— Les gens veulent l'amour conjugal, Rachel, parce qu'il leur apporte un bien-être, une certaine paix. C'est un amour prévisible puisqu'ils l'attendent, qu'ils l'attendent pour des raisons précises. Un peu ennuyeux, comme tout ce qui est prévisible. La passion amoureuse, elle, est liée au surgissement. Elle brouille l'ordre, elle surprend. Il y a une troisième catégorie. Moins connue, que j'appellerai... la rencontre inévitable. Elle atteint une extrême intensité, et aurait pu ne pas avoir lieu. Dans la plupart des vies elle n'a pas lieu. On ne la recherche pas, elle ne surgit pas non plus. Elle apparaît. Quand elle est là on est frappé de son évidence. Elle a pour particularité de se vivre avec des êtres dont on n'imaginait pas l'existence, ou qu'on pensait ne jamais connaître. La rencontre inévitable est imprévisible, incongrue, elle ne s'intègre pas à une vie raisonnable. Mais, elle est d'une nature tellement autre, qu'elle ne perturbe pas l'ordre social puisqu'elle y échappe.

— Pour toi, notre rencontre, elle appartient à quelle catégorie ?

— Rachel, ne redis plus : « Notre rencontre, elle ». Notre rencontre. Appartient. À quelle catégorie. Le sujet n'a pas besoin d'être redoublé, tu l'as mentionné, on a entendu. On a compris de quoi tu parles. Je la situerais entre la deuxième et la troisième.

— Pierre !

— Oui.

— … Tu m'aimes ?

— Regarde-moi.

— Je te regarde.

— Je t'aime Rachel.

— Moi aussi, tu sais.

Ils allaient faire un tour au jardin public, ils entraient par l'avenue de Déols, suivaient l'allée des marronniers qui descendait vers l'étang, des cygnes glissaient sur la surface, il y avait un saule pleureur, les branches retombaient, bougeaient avec le vent, ils s'appuyaient à la balustrade, et restaient quelques minutes, comme ça, à regarder en silence les branches fines qui se balançaient, qui effleuraient l'eau, la caressaient. Plus loin des enfants ramassaient des marrons, puis les faisaient briller avec un chiffon. Vers le haut du parc, dans une immense cage, des paons faisaient la roue. Il y avait un kiosque à musique. Un jour, *La Marseillaise* a résonné dans le parc. Tout le monde s'est levé des bancs, des chaises. Plus personne n'était assis. Seul un type est resté vautré ostensiblement sur la pelouse. Après un rapide coup d'œil, et un haussement d'épaules, elle en a détourné le regard. Elle a continué à se tenir bien droite.

— Tu es patriote dis-moi Rachel !...

— Peut-être oui. Peut-être que je suis patriote oui. Pourquoi, il ne faut pas, tu ne l'es pas toi ?

— Ça ne me choque pas que ce type, qui est sûrement fatigué par sa semaine, reste allongé sur la pelouse, c'est dimanche après tout. Il est venu au jardin public pour se détendre. Mais je vois que toi ça te choque.

— Sans doute. Oui. J'avoue ça me choque un peu.

— Il m'amuse moi ce type. Je le trouve plutôt drôle.

— C'est quand même l'hymne national. C'est une question de respect. C'est en signe de respect qu'on se lève. Il y a des gens qui sont morts pour nous. Pour qu'on reste libres.

— Ouiii, bien sûr ! Tu as raison Rachel. Mais tu crois que ceux qui se lèvent, là, ont tous eu un comportement exemplaire ?

— Sûrement pas non. Mais je sais pas si c'est la question. Tu aurais voulu qu'on reste occupés toi ? C'est terrible d'être occupé. On n'avait rien. On n'était pas libres. On n'avait notamment rien à manger. Il y a des choses qui ne s'oublient pas. J'ai passé tout un hiver en sandales. L'hiver 44. Maman n'avait pas de quoi nous faire à manger !

— Où était ton père ?

— Mon père est juif, tu le sais. Il était parti en Égypte, en 35, on devait le rejoindre. Ça ne s'est pas fait, ça ne s'est pas fait tout de suite, et après c'était trop tard. Les frontières étaient fermées. On ne pouvait plus voyager, plus rien ne passait, il pouvait plus envoyer d'argent à maman. Pour lui en tant que juif, il valait mieux qu'il reste là-bas. Nous on n'avait aucune nouvelle. On n'avait rien. Et on ne savait rien. C'était pas facile. On avait une voisine, Mme Brun, elle avait un amant allemand, dans le quartier les gens l'aimaient pas, alors elle se mettait à sa fenêtre, et elle criait : « Il faut qu'ils fassent attention, tous ces gens-là, Mme Schwartz, femme de Juif, et sa fille, je pourrais leur faire du mal, moi, à ces gens-là. » Bon. Elle a jamais rien fait. Elle devait pas être si méchante que ça au fond.

Quand elle l'a connu, sa mère était en maison de repos à Grasse. Elle avait une maladie respiratoire chronique assez grave. Sa sœur venait d'avoir dix-sept ans. Elles vivaient toutes les deux au 36 de la rue de l'Indre, dans une maison en pierre avec un grand jardin, qui allait jusqu'à une rivière. On y accédait par un chemin, le chemin des Prés.

La rue de l'Indre se trouvait en contrebas de la rue Grande. Le 36 correspondait à l'entrée du chemin. Au bout de cinquante mètres il y avait la maison. On entrait dans une cour, au fond il y avait un garage en tôle, à côté une pièce désaffectée, les vitres étaient cassées, les murs pleins de salpêtre, ç'avait été la blanchisserie de sa grand-mère, puis l'atelier de repassage de sa mère pendant la guerre. La cour était prolongée par le jardin. Celui-ci était séparé du chemin par un petit muret écroulé. L'allée menait à la rivière.

Au milieu du jardin se trouvait un énorme cerisier. Et, éparpillés, un pêcher, un prunier, un pommier. Il y avait des fraises, des fleurs, des iris, des tulipes, des roses, un lilas, et près du muret écroulé du jardin, un poirier, dont les branches dépassaient dans le chemin.

Il y avait un lavoir, où elle faisait la lessive, au bout de l'allée.

Du haut des marches de la maison, on dominait tout jusqu'à la rivière. La cour, le jardin, l'eau. Puis le regard était arrêté par un rideau d'arbres. Au-delà, un raccourci menait à Belle-île, une plage aménagée sur l'Indre. On accédait sur le passage au jardin public par la grille du bas.

Quelques rues autour de la maison prolongeaient le territoire. Des escaliers qui prenaient dans la rue de l'Indre coupaient vers le centre-ville. L'un, très étroit, sombre, qu'on appelait la petite échelle, grimpait après avoir fait des coudes entre les maisons, entre les hauts murs, et donnait derrière la rue Grande rue des Pavillons. L'autre, large, clair, qu'on appelait la grande échelle, débouchait derrière la mairie.

La première fois qu'il est venu, une photo traînait sur le bahut de la cuisine, qui représentait un groupe de filles chacune avait une coiffe en papier sur la tête. Elle avait été prise dans les bureaux de la Sécurité sociale le jour de la Sainte-Catherine. Ce jour-là on faisait une fête. Les filles de vingt-cinq ans non mariées portaient une coiffe, on disait qu'elles « coiffaient Sainte-Catherine » et on les appelait les Catherinettes. L'objectif était de les mettre en valeur avant qu'elles soient vieilles filles comme on disait. Les employées concernées avaient fabriqué leur chapeau avec du papier, du scotch et des agrafes et un apéritif avait été servi après la journée de travail. Elle était au dernier rang avec les plus grandes, renversait le cou en arrière, et riait bouche grande ouverte. En jetant un dernier coup d'œil dans la pièce avant qu'il arrive, son regard est tombé sur cette photo, qu'elle a rangée dans le tiroir.

Sa sœur était fiancée. Elle sortait souvent. Ils ont dîné tous les deux. Ils ont passé la soirée ensemble, et il est rentré chez lui.

Il trouvait la maison originale. Une petite tour surmontait un toit d'ardoises. La porte n'était jamais fermée à clé. Il frappait, et il entrait. On arrivait directement dans la salle à manger, qu'on n'utilisait jamais. On accédait à la petite tour par la cuisine contiguë, une grosse porte en bois dans le mur du fond donnait sur un escalier, à l'étage intermédiaire on apercevait une enfilade de pièces désaffectées, nimbées par la lumière qui filtrait entre les rainures des volets fermés. Il ne fallait pas y mettre le pied, des pierres pouvaient tomber. Il n'y avait pas de salle de bains. Elle faisait bouillir de l'eau dans une bassine et se lavait dans l'évier de la cuisine. La pauvreté de la maison était évidente. Il n'en parlait pas.

Il lui parlait de Paris, il insistait sur son attachement à cette ville, l'impossibilité qu'il aurait de vivre ailleurs. Il lui décrivait l'endroit où il habitait :

– Pas loin de l'Arc de triomphe.

– Boulevard Pereire, dans un immeuble en retrait des jardins.

– Deux appartements sur le même palier. L'un, occupé par ses parents, dans lequel il avait encore sa chambre, l'autre, occupé par son frère, sa femme et leurs deux filles.

– Quand il parlait de la femme de son frère, il disait « c'est une petite jeune fille simple ». Et, pour expliquer le choix de son frère, « lui tout ce qu'il voulait c'était qu'elle soit gentille » sur un ton qui laissait supposer que c'était une sorte de mésalliance.

À l'époque, les jeunes gens faisaient leur service militaire en Algérie. Sa sœur était fiancée à un garçon qui venait d'y passer deux ans, il en avait ramené des souvenirs d'horreur. En tant qu'étudiant, mon père avait bénéficié d'un sursis, puis il avait été convoqué, et aurait dû partir aussi. Mais, par une amie dont il avait été l'amant et dont le père était ministre, il avait été affecté en Allemagne, il était secrétaire, interprète et chauffeur d'un officier. Un soir, il rentrait à la caserne en voiture, une fille lui avait posé un lapin, il était très énervé, il conduisait vite. Il a heurté un passant. L'homme a rebondi sur le capot, le corps a été projeté sur la chaussée, il ne s'est pas arrêté. L'homme a été retrouvé mort le lendemain. Il y a eu une enquête, le signalement de la voiture a été communiqué, mon père a été incarcéré. Donc, quand il est arrivé à Châteauroux, il sortait de la prison militaire.

Cigarettes, whisky et p'tites pépées, une chanson d'Eddie Constantine qui avait beaucoup de succès, passait à la radio, ils étaient au lit, tout allait bien. Tout à coup son visage s'est assombri.

— Qu'est-ce qui se passe Pierre, ça va pas ?

— … Je ne sais pas si je peux te parler de ça. Je pense. Il n'y a pas secrets entre nous, n'est-ce pas Rachel ?

— J'espère que non.

— Tu ne me jugeras pas, tu ne diras rien à personne ?

— Pierre, tu sais ce que mes collègues disent de moi au bureau ?

— Qu'est-ce qu'ils disent ?

— « Mlle Schwartz, c'est une tombe ! »

— Eh bien…

Les mots sortaient de sa gorge lentement, comme d'un nœud qu'on desserre.

— Eh bien, cette chanson.

— Oui.

— *Cigarettes, whisky et p'tites pépées*…

— … Oui…

— Eh bien…

— Pierre… Je ne dirai rien.

— La première fois que je l'ai entendue… j'étais en prison.

— En prison comment ça !?

— Dans la prison militaire, pendant mon service. C'est la première fois que j'en parle.

— Je ne dirai rien, sois tranquille.

— J'ai eu peur. Au lieu de m'arrêter... eh bien j'ai accéléré.

— ...

— Je suis un garçon malheureux, tu sais Rachel. Je suis quelqu'un de seul. Je n'ai aucun ami. Tout le monde m'a rejeté. Autour de moi c'était la meute, tu comprends, la meute, et moi, isolé, au milieu...

Elle a rapproché son oreiller du sien, elle a posé sa tête sur son torse, mis son bras en travers de son ventre, et s'est collée à lui.

— Tu es resté en prison longtemps ?

— Un an et demi. Je me suis évadé. Mais tout le monde était à mes trousses. J'ai tout de suite été repris. Personne ne m'a aidé. C'était affreux. Mon père m'écrivait tous les jours, heureusement. Lui il ne m'a pas jugé.

La joue sur sa poitrine, elle entendait battre son cœur.

— J'étais orgueilleux. J'étais autoritaire. J'étais cassant. Il fallait toujours que j'en impose aux autres. Que je marque ma supériorité. J'étais un petit jeune homme vaniteux tu sais. Une sorte de petit marquis, assez prétentieux. Pas très sympathique. Je ne veux plus être cet homme-là.

Il avait une expression de sincérité totale.

— Quand ce garçon a traversé la rue, je n'ai absolument rien maîtrisé. Je n'avais pas le temps de freiner. Et j'ai paniqué. Ça s'est passé comme ça parce que j'étais en colère. Par orgueil. Par vanité. Ce n'est pas glorieux, n'est-ce pas ? Je ne suis plus cet homme Rachel.

Il parlait de lui au passé. Il disait qu'il voulait changer. Il était couché, il regardait le plafond. Puis il a tourné le visage vers elle, et il a aspiré ses lèvres. Il a remis sa main sous le drap. A introduit un doigt dans son vagin. L'a enfoncé. Puis il est entré en elle. Elle a eu une sensation complexe. Un courant électrique la parcourait en surface, en même temps l'onde atteignait le fond de son être. Elle a eu l'impression d'être anéantie. C'était une impression heureuse, celle d'être un être humain mais pas forcément elle. Un être humain, n'importe lequel, un mortel. Elle n'avait jamais éprouvé ça. Elle a joui autant par le frottement des allers et retours à l'intérieur d'elle de sa verge, que par le fait de se sentir : à la fois, prise comme une chose dans un grand vide, et intégrée à ce néant, incluse. C'était une sensation de vérité. Elle ne se sentait pas banalement remplie, mais annihilée, vidée de sa personnalité, réduite en poussière. Sa matière elle-même transformée, sa personne modifiée chimiquement. Elle faisait partie de ce rien. Le temps auquel elle appartenait s'était soudain étiré à des millions d'années. Son corps s'est raidi quelques secondes le temps de gémir, puis elle a tourné la tête sur l'oreiller. Elle a pleuré. Il a accéléré le mouvement et a éjaculé sur son ventre, par précaution comme il le faisait toujours, et selon l'accord qu'ils avaient pris.

Ils se sont endormis. Elle s'est réveillée quelques minutes après. Elle devait rentrer :
— Quelle heure il est ? Il est tard si ça se trouve.

— Ne dis pas « si ça se trouve ».

— Je sais. On dit « s'il se trouve ». Mais quand c'est du langage parlé... on peut...

— Tu dis « ça pleut » toi ? Tu dis « ça pleut » ? Ou tu dis « il pleut » ?

— *Il* pleut.

— Ta sœur dit « ça pleut », tu as remarqué ? Tu devrais lui dire, socialement elle sera pénalisée. Un type peut faire toutes les études qu'il voudra, s'il dit « ça pleut », il aura peut-être son diplôme mais ce sera tout.

— Tu sais Didi...

— Ça lui est égal c'est ça ? Et à toi ? À toi aussi ?

— Non. Moi non.

La première fois qu'ils sont restés ensemble la nuit entière, le lendemain matin, quand elle a ouvert les yeux, il était déjà réveillé. Il était en train de la regarder.

— C'est merveilleux Rachel.

Il lui a caressé la joue.

— Il nous arrive quelque chose tu sais.

— Je crois oui.

— S'il n'y avait pas eu tes yeux, ça ne serait pas arrivé, tu le sais ? Ils sont si beaux, tes beaux yeux verts. Ce vert est si doux... Tu es une très jolie femme Rachel. Tu le sais ?

— ... Voyons... est-ce que je le sais ? Je ne crois pas. Pas forcément, non.

— Tu es vraiment une très belle femme.

— Merci.

— Tu as un très beau corps. Tu pourrais avoir de très beaux hommes.

— C'est à toi que je veux plaire, je te trouve beau moi.

Elle lui a cité des acteurs qui lui plairaient moins que lui.

— Toi tu as du charme, c'est plus intéressant, tu es plus que beau.

Il a ri.

— Tu es gentille ma grande fille. On est bien ensemble, n'est-ce pas Rachel…

— En tout cas, moi, je suis bien avec toi.

— Je sais que tu es bien. Je le sens sous ma main. Et là, dans le creux de mon bras. Et là, entre mes lèvres. Là aussi. Et là.

— J'ai jamais été comme ça avec personne Pierre.

— Rachel…

— Oui.

— Dis-moi qu'on sera toujours comme ça. Comme en ce moment. Que rien ne détruira ça. Jamais. Dis-moi que rien ne changera entre nous. Que dans un mois on sera exactement comme là. Comme on est là. Avec tes jambes dans les miennes. Qu'on éprouvera ce qu'on éprouve en ce moment. Exactement. Cette impression qu'on a là, à l'instant, tous les deux, d'être la même personne. Dis-le-moi Rachel. Dis-moi « oui Pierre ».

Elle fermait les yeux.

— Dis-le. Regarde-moi.

— Oui Pierre. Moi aussi j'aimerais que ça continue, tu sais. Le plus longtemps possible, pas seulement dans un mois.

Il lui a posé des questions sur la façon dont elle voyait sa vie.

— Tu vois ta vie à Châteauroux ? Ou tu aimerais partir ? Vivre ailleurs.

— Je ne sais pas encore. Je peux partir.

— Tu veux te marier ?

— Je ne sais pas. Et toi ?

— Moi !?... Moi non. Je veux pouvoir faire ce que je veux.

— Tu ne pourrais pas si tu étais marié ?

— Certainement pas.

— Pourquoi ? Parce que tu ne pourrais pas avoir des maîtresses ?

— Oui, mais pas seulement. Avec quelqu'un comme toi en tout cas je ne pourrais pas faire ce que je veux.

— Pourquoi tu dis ça ?

— Parce que tu es très exigeante Rachel. Que tu aimes bien t'imposer. Qu'on fasse attention à toi, y compris sexuellement. Si je te laissais faire, tu dirigerais les opérations. N'est-ce pas ?

— Pas du tout. Pourquoi tu dis ça ?

— Tu ne t'abandonnes pas !

— Ça peut m'arriver d'être sur mes gardes parfois mais... Au début peut-être. Quand je te connaissais pas encore. Mais, de moins en moins. C'est quelque chose qui te gêne ?

— C'est important une femme qui vous fait confiance.

— Je te fais confiance Pierre. Je ne pense pas être quelqu'un qui dirige. Au contraire.

— Embrasse-moi. Viens. Tu ne sais pas ce que j'aime goûter chez toi ! Si ? Et ce que j'aime moins. Laisse-moi faire, d'accord ?

— J'aime que tu prennes des initiatives... c'est ça que j'aime avec toi.

26

— Viens là ma grande fille. Allez, viens. Ne t'inquiète pas. Souris-moi.

Il a caressé son dos à travers le drap comme si sa main était immense, et qu'elle avait le pouvoir, rien qu'en passant sur le tissu, de la faire frissonner du creux des reins à la nuque.

— Humm. C'est bon Pierre. J'adore.

— Si tu venais vivre à Paris on pourrait se voir souvent. Tu aimerais ?

— Bien sûr. Mais, et mon travail !?

— Tu peux travailler à Paris non ?

— Il faudrait que je demande ma mutation...

— Je pourrais t'aider à trouver un petit appartement. Et, si tu veux te marier, parce que je comprends, pour une femme c'est important, je n'y verrais pas d'objection.

— Avec un autre homme tu veux dire ?

— Ah oui. Je t'ai dit, moi, ce n'est pas possible. Pour nous ça ne changerait rien. On se verrait autant que tu voudrais.

— Tu ne serais pas jaloux ?

— Non.

Puis, il a giflé le bout de ses seins, d'un air comme distrait. Il lui a dit de se concentrer, et de jouir comme ça. Elle a enfoncé sa tête dans l'oreiller, les yeux fermés. Puis sa nuque s'est soulevée, raidie. Elle a poussé un soupir, et sa tête s'est de nouveau alourdie. Elle est restée allongée quelques secondes. Puis elle s'est assise dans le lit. Et elle a pris son sexe dans la main.

— Tu as eu beaucoup d'amants ?

— Non. Un seul avant toi. Mais j'ai été fiancée. Quand j'étais toute jeune...

— Raconte... C'était un beau parti ?

— Pas mal oui. Mais j'étais très jeune. J'avais seize ans.

— C'était lui ton premier amant ?

— Non, lui c'était mon fiancé. Il s'appelait Charlie.

— Avec un y, c'était un Américain ton Charly ?

— Non, un Français. Et il était très respectueux de la jeune fille que j'étais. On est restés fiancés deux ans. C'était un très gentil garçon. Il serait allé me décrocher la lune !

— Qu'est-ce qu'il faisait ton petit ami Charlie ?

— Il devait finir ses études. Il était très jeune lui aussi. Il devait reprendre le cabinet de prothèses dentaires de son père. Ses parents habitaient Paris, dans le seizième.

— Où ça ?

— Quai Louis-Blériot.

— Pourquoi ça n'a pas marché ?

— La date du mariage allait être fixée. On s'écrivait. Mon père était même allé voir sa famille à Paris. Et puis j'en ai eu marre.

— C'est toi qui as rompu ?

— Oui. J'ai cessé de répondre à ses lettres. Brutalement, comme ça. Sans vraiment réfléchir.

— Le pauvre.

— Il en a souffert d'ailleurs. Mais je crois que je ne me rendais pas compte. J'étais tellement jeune. Il m'a attendue. Et il a fini par se marier.

— Pauvre garçon.

28

— Il a écrit à maman pour savoir si je recevais ses lettres.

— Tu regrettes ?

— Hmm. Moui. Parfois. Ça m'arrive. Il m'offrait une vie... comment dire ? Enfin il m'est arrivé de penser que j'aurais eu une vie plus confortable, sûrement. J'irais pas à la Sécu tous les matins tu vois par exemple.

Elle a ri.

Le rêve des filles de l'époque était d'épouser quelqu'un qui leur permettait de rester chez elles. De ne pas être obligées de travailler.

— Pourquoi as-tu raté l'occasion de ce mariage ?

— Il me plaisait pas.

— C'est-à-dire ?

— J'aimais pas quand il m'embrassait.

Physiquement, mon père ne correspondait pas aux goûts de l'époque. On aimait les hommes grands aux cheveux coupés en brosse. Il était de taille moyenne, plutôt maigre, il était très myope, il avait les yeux un peu globuleux, des verres de lunettes épais, et n'était pas soucieux d'élégance vestimentaire. Mais il avait un charme, une assurance, un sourire, qui faisait que les autres hommes n'existaient plus pour elle. Ceux qui les voyaient marcher main dans la main voyaient une très belle jeune femme accompagnée d'un homme sans intérêt. Son port de tête, et une certaine façon de bouger les épaules en marchant, en faisaient à ses yeux quelqu'un d'absolument unique. Ses amies ne comprenaient pas ce qu'elle lui trouvait. Leur incompréhension l'amusait. Elle était donc seule à comprendre sa séduction. Son charisme, tout ce langage. Elle était donc exilée dans cette ville. Mais elle avait enfin trouvé quelqu'un qui lui correspondait.

Nicole vivait dans un petit appartement des boulevards, seule avec sa mère. Elle était brune, les cheveux frisés, elle avait une voix haut perchée, mal placée, discordante mais séduisante. Elles se connaissaient depuis longtemps. Elles travaillaient toutes les deux à la Sécurité sociale, dont les bureaux venaient d'être transférés rue Jacques-Sadron. Elles se voyaient souvent.

— Qu'est-ce que tu vas faire quand il va rentrer à Paris ?

— Il m'a demandé si j'envisagerais de quitter Châteauroux.

— Il veut que tu partes avec lui ?

— Avec lui, pas vraiment. Il veut qu'on continue de vivre comme ici je pense. Il tient beaucoup à son indépendance.

— Et toi tu en penses quoi ?

— Je ne sais pas. On est bien ensemble.

— C'est sûr ça Rachel. C'est évident. Même moi je le vois. Vous êtes bien, vous êtes heureux, ça se voit à l'œil nu ça.

— Ah bon !? Tu trouves ? À quoi ? Comment tu le vois ?

— Je saurais pas te dire. On voit que vous êtes bien ensemble. Il est prévenant, il est présent, il est gentil avec toi. Il te regarde tout le temps…

— Je crois pas qu'on se verrait tous les jours s'il m'aimait pas... De toute façon on s'aime.

— Tu as l'impression qu'il voudra se marier ?

— Je crois pas. Il dit qu'il veut rester libre. Mais on a parlé d'avoir un enfant.

— Attends... Il veut que tu quittes Châteauroux, il veut un enfant, mais il veut pas se marier !? C'est bizarre non ?

— Il est comme ça. Il est très attaché à sa liberté. C'est pas un type banal, c'est sûr. Mais on s'aime. C'est sûr aussi, et il veut un enfant de moi. Ce serait tellement bien.

— S'il veut un enfant de toi c'est qu'il voit un avenir avec toi. C'est un type bien, c'est un type intelligent, il sait ce qu'il fait. Il est gentil, c'est pas quelqu'un qui fait n'importe quoi. Il est attentif, il est sensible. C'est pas le genre de type arrogant, alors qu'il pourrait.

Il était courtois en société. Il s'intéressait aux gens, il leur posait des questions, il les écoutait. Nicole l'appréciait.

— Physiquement il te plaît je suppose ?

— Bien sûr. Et puis on est bien ensemble. On est bien ensemble. C'est comme ça, qu'est-ce que tu veux que je te dise... On est ! Bien ! Ensemble !

Au début du printemps, ils ont passé un week-end dans la Creuse. Ils se connaissaient depuis six mois. Ils ont dormi à Crozant dans un petit hôtel. Le week-end a été merveilleux. Il avait loué une voiture, ils sont allés à Gargilesse et à Nohant. Ils ont visité la maison de George Sand. Il y avait des documents sur sa vie, sur ses amants, des détails sur ceux qui ont passé du temps à Nohant, sur ses romans, ce qui a inspiré quoi, ce qu'elle voyait de sa fenêtre, les endroits où sont situées certaines scènes de ses livres, le tableau où elle est habillée en homme, en costume, veste, pantalon, chemise, lavallière, avec un cigare entre les doigts.

— En tout cas, nous, au bureau, le jour où il y en a une qui est arrivée en pantalon – c'était une marrante – ça pas été comme George Sand. Elle a tout de suite été convoquée par le patron. Et il l'a priée d'aller se changer.

— Vous n'avez pas le droit d'aller travailler en pantalon ?

— Ah non ! Certainement pas. Non non. J'ai été le voir moi le patron ! Je lui ai dit que je trouvais pas normal qu'il l'ait renvoyée chez elle. Pour une fois c'était quand même pas bien grave.

— C'était important pour toi ?

— Oui c'était important. Surtout que de son côté lui il se permettait des choses ! Au début, il voulait faire de moi sa maîtresse. Et comme j'ai jamais donné suite, il m'a mené une vie infernale pendant des années. Heureusement qu'il m'a changée de service, et que je suis plus sa secrétaire personnelle.

— Il ne sait pas que tu n'es pas intéressée par les petits patrons dans son genre ?

— Eh non tu vois !! Apparemment.

Sur la route du retour, ils se sont pris en photo dans la campagne. Elle a pris une photo de lui, et il a pris la même photo d'elle. En appui sur le même poteau, dans la même position. L'une comme l'autre ont été prises de loin. Elle avait un pull à manches courtes, un pantalon fuseau, des ballerines et un foulard autour du cou. Lui une chemise blanche dont les manches étaient relevées, et un pantalon ceinturé qui flottait autour des hanches. On ne distinguait pas bien les traits. On voyait la position des corps, le cadre et la campagne environnante.

Il a commencé à pleuvoir, ils sont remontés dans la voiture. Sur le chemin du retour, ils ont parlé des endroits où ils rêvaient d'aller un jour.

— Moi j'ai une passion, que je dois absolument satisfaire chaque année, ne serait-ce que quelques jours, l'Italie.

— J'y suis jamais allée.

— Il faut absolument que tu y ailles.

La voiture traversait des villages qu'elle connaissait depuis toujours. Il en prononçait les noms à voix haute, en les découvrant sur les pancartes, puis il en faisait l'étymologie, les maisons défilaient. La petite pluie fine, qui tombait sur le pare-brise, commençait à s'alourdir. Le ciel était uniformément gris.

— Ton père, c'est quelqu'un que tu admires Rachel ?

— J'ai dû l'admirer oui, sans doute. Mais je ne peux pas dire que je l'aime.

— Pour quelle raison ?

— Pour quelle raison ?... Ah. C'est difficile. Elle a fait une pause, puis :

— Eh bien disons...

Elle a pris le temps de penser chaque mot :

— Eh bien disons... C'est quelqu'un qui m'a rejetée.

— Pourquoi dis-tu ça ?

— Il est parti, j'avais quatre ans, il est revenu, j'en avais dix-sept. Pendant les treize ans où il a été absent, j'avais une photo de lui, que je regardais tous les jours, elle avait été prise dans le chemin, il fumait la pipe, il avait un beau pardessus, en prince-de-galles. Je le trouvais élégant. Quand j'étais fâchée avec maman, je regardais cette photo, « ah la la » je me disais, « si seulement mon père était là lui au moins il me comprendrait ». Et puis...

Il y a eu quelques secondes de silence.

— Pourquoi tu t'arrêtes ? Continue.

— Je n'aime pas parler de ça. Ça me fait quelque chose.

— Tu ne peux pas le chasser de ta vie.

— Je sais bien.

— C'est ton père.

— Je sais. Bon. Je vais essayer de te dire. Quand il est revenu au bout de treize ans, il avait été absent, notamment pendant toute la période de la guerre...

— Il est revenu combien de temps après ?

— Un an ou deux. J'étais encore très maigre, on avait eu beaucoup de carences. Et on s'est pas remis à manger tout de suite après la guerre. On a eu des privations pendant longtemps. Je suppose que j'étais pas une très jolie jeune fille. Je pense que je le flattais pas. Un jour, il m'a convoquée dans le jardin. Et. Enfin, je sais pas si j'ai envie de continuer.

34

Il a lâché le volant, il a posé la main sur son genou.

— Continue.

— Ben je le connaissais pas tu vois quand il est revenu. J'en attendais beaucoup. Sans doute trop. Et un jour, on venait de finir de déjeuner, il m'a dit de le suivre. Et il est parti dans le jardin... Et, dans l'allée du jardin, il a commencé à me comparer aux enfants de son frère.

Elle a modifié la position de son corps, comme quelqu'un qui s'apprête à raconter une anecdote qui va être un peu longue. Elle a redressé son dos sur le siège.

— Et il a mis ses mains comme ça : comme ça, tu vois ?

Elle a mis ses mains l'une en face de l'autre, parallèles. Il y avait un espace d'environ vingt centimètres entre elles.

— Comme ça, face à face. Et, pour faire le tri, entre moi d'un côté, et les enfants de son frère de l'autre, il faisait aller ses mains comme ça, d'un côté à l'autre du jardin.

Elle a translaté ses mains vers la droite.

— Alors il y avait, d'un côté : les enfants de son frère. Qui étaient... mettons, « bien élevés ».

Elle a suspendu son geste un instant. Les mains face à face, vers l'extérieur, vers la vitre de la voiture.

— Et de l'autre : moi.

Elle les a déplacées vers le volant.

Elle a eu l'air d'hésiter à continuer. Puis elle a repris le va-et-vient de ses mains parallèles.

Comme d'un côté à l'autre du jardin. Du côté du volant. Du côté de la vitre.

— Alors… les enfants de son frère étaient : beaux, intelligents, cultivés. D'un côté. Et moi, j'étais : laide, bête, ignorante. De l'autre. Ça a continué comme ça jusqu'à la rivière. Il est long le jardin, tu sais. J'étais là, je disais rien.

Elle imitait la prononciation hachée de son père.

— « Tes cousins sont beaux. Tu es laide ! » « Ils sont intelligents. Tu es bête ! » « Ils sont instruits. Tu es ignorante ! »

— Quelle est son origine exacte ? Quel accent prends-tu là ?

— Oh je ne sais pas si je prends un accent particulier. Ses parents venaient d'Europe de l'Est, lui il est né en Égypte, à Alexandrie. Il avait un passeport italien. Il a commencé à voyager très tôt. Il a appris la comptabilité internationale. Je suppose qu'il parlait avec un accent oriental. Ou que c'était un mélange de tout ça, roumain, hongrois, hébreu, arabe, italien je sais pas. Et il terminait son geste comme ça, par un petit rebond. Comme ça, tu vois…

Elle a fait sauter ses mains en l'air, d'un mouvement sec.

— Une fois qu'on a été face à la rivière il m'a dit : « En conclusion, j'aurais honte de te présenter à ma mère. »

Ses traits étaient serrés, toute expression en avait été vidée. Il restait une sorte de froideur qui pouvait passer pour de la placidité.

— Et j'ai rien dit à maman, quand on est rentrés.

Mon père a de nouveau posé la main sur son genou, il a caressé sa cuisse à travers le tissu du pantalon fuseau.

— Quels sont vos rapports aujourd'hui ?

— Ohff. Il vient à Châteauroux une fois de temps en temps. C'est compliqué parce que, il est pas au courant de l'existence de Didi, alors quand il arrive elle s'en va. Maman lui a jamais dit qu'elle avait eu un autre enfant... Et dans le quartier tout le monde a tenu sa langue. Personne lui a jamais rien dit.

— Même pas toi ?

— Ah non. C'est le secret de maman. Elle a eu Didi avec un monsieur qui est mort juste avant la fin de la guerre. J'ai jamais très bien su qui c'était. Didi non plus.

— Il a de l'argent ton père ?

— Il a des comptes en banque d'après ce qu'il dit. En Italie, en Suisse, en Israël, mais je sais pas du tout ce qu'il y a dessus. Sûrement pas grand-chose.

— Mais enfin c'est ton père, ce n'est pas n'importe qui. Pourquoi être désagréable quand il vient, deux jours par an ? Il suffirait d'un petit effort. Tu es sa fille unique, il va penser à sa succession un jour...

— Oui oh tu sais je m'en fiche moi de ça.

— Tu as tort Rachel.

— Et toi ton père. Tu l'admires ?

— Contrairement à toi, moi j'aime beaucoup mon père. Et je l'admire beaucoup. C'est un homme d'exception. Très intelligent. Curieux, brillant, drôle. Très vif, rapide. Très cultivé, très fin, très... C'est un homme hors du commun. Il est très...

— Il a toutes les qualités si je comprends bien...

Il a ri.

— Toutes !

Elle aussi.

— Cite-moi des qualités Rachel...

— Eh bien je ne sais pas, disons... La bonté ?

— Ohh !!! Il est extrêmement bon ! Extrêmement !

Ils ont continué à rire. Leur dialogue s'est transformé en jeu pendant la fin du trajet. Ils sont arrivés à Châteauroux, et quand il l'a déposée à l'entrée du chemin, ils y jouaient encore.

Au cours des mois qui ont suivi, chaque fois qu'il lui parlait de son père, elle lui donnait la réplique.

— Alors maintenant... voyons... Disons... La délicatesse !

Et lui, volontairement avec emphase :

— Ah, extrêmement délicat. Il est extrêmement délicat... Il est d'une délicatesse... Mais d'une délicatesse... Extrême.

Ce petit jeu s'est répété, leur duo s'est rodé.

— L'intelligence !?

— Ahhhh !!!... il n'y a pas plus intelligent.

— La générosité.

— Il est ex-trê-me-ment généreux. Ex-trê-me-ment. Il est la générosité faite homme. La générosité même.

Il ne lui a pratiquement jamais parlé de sa mère.

Quand ma grand-mère est rentrée de Grasse, elle lui a dit qu'elle avait rencontré un jeune homme, qu'il travaillait à La Martinerie, qu'elle le voyait de temps en temps, qu'il était gentil. Didi allait avoir dix-huit ans, elle était manutentionnaire à la Quintonine. Son fiancé était apprenti ébéniste, ils étaient sur le point de se marier. Le problème qui occupait la maison était : le jour du mariage, qui allait conduire Didi à l'autel puisqu'il n'y avait pas de père ? L'oncle de ma grand-mère s'est proposé. La fête aurait lieu dans une auberge de campagne. Mon père était invité. Elle ne lui a pas fait part de l'invitation. Les chansons, la jarretière, l'accent berrichon, la farandole dans la salle, la table en fer à cheval, les hommes aux jambes arquées dans leur costume, les robes achetées par correspondance, les plaisanteries, elle a préféré y aller sans lui. Nicole était devenue une amie de la famille. Elle était assise à côté d'elle.

— Il est entré dans ma vie, pour moi il en fait partie, je le vois pas en sortir. Tu comprends ? Pour moi il est dans ma vie. Mais je sais pas comment ça va se passer. Je sais pas du tout.

— Tu devrais aller voir une voyante Rachel. J'en connais une, qui est très bien.

Cette voyante lisait dans le marc de café. Après quelques secondes, des formes apparaissaient. Elle y distinguait des lettres, qu'elle commentait. Ma mère a pris rendez-vous. Dans une petite pièce banale, entre un canapé et un buffet, la voyante observait le marc de café renversé sur une assiette. Le P y figurait. Il avait beaucoup d'importance. À l'horizon de quatre ou cinq ans, un bouleversement aurait lieu. Un déménagement, une mutation, un décès, un choc, quelque chose de soudain et de brutal. Mais, un événement se produirait qui lui permettrait de surmonter ce choc. La voyante lui a demandé de refaire bouger l'assiette. Le marc de café a inscrit la forme d'un C. Le dessin était très creusé. La voyante était sûre d'elle, cette lettre avait beaucoup d'importance. Ma mère a eu beau chercher, elle ne voyait pas à qui ce C correspondait. La voyante insistait. Le C compterait toute sa vie. Et il aurait même une importance énorme.

Au milieu du printemps, la société qui employait mon père à La Martinerie comme traducteur lui a signifié la fin de son contrat au 30 avril. Il a pris un billet de train pour le 2 mai, à quatorze heures trente. Elle a demandé un congé pour la matinée du 2, afin qu'ils puissent déjeuner tranquillement ce jour-là.

Ils ont passé la journée du 1er ensemble. Ç'a été très gai. Ils sont allés en forêt. Ils se sont promenés dans des sentiers, ils sont entrés dans un sous-bois, par principe comme c'était le 1er mai ils remuaient le feuillage, et regardaient au loin sans y croire. Tout à coup, plein de petits points blancs sont apparus partout devant eux. Ils étaient tombés sur un endroit exceptionnel. Ils marchaient sur le muguet tellement il y en avait. Ils n'avaient pas fini de cueillir sous leurs pieds qu'ils apercevaient déjà plus loin d'autres clochettes. Quatre mains ne suffisaient pas. Les brins étaient parfumés. Ils ont repris la voiture les bras chargés en ayant l'impression d'avoir vécu quelque chose d'inouï. Puis ils se sont arrêtés déjeuner, à Chasseneuil.

Il a hésité à prendre des huîtres, il y en avait. Il a décidé qu'il attendrait Paris. Il lui a parlé de La Brasserie Lorraine et de la place des Ternes.

— J'aimerais beaucoup que tu viennes t'installer à Paris et qu'on continue à se voir. Tu réfléchiras, Rachel ?

— Moi aussi j'aimerais Pierre. Mais dans quelles conditions ? Je me vois pas vivre dans une petite chambre et aller travailler à la Sécu avec toi qui viendrais me voir de temps en temps. On ferait beaucoup de choses ensemble ? Tu me présenterais à ta famille ? Ou est-ce qu'il y aurait une séparation complète entre ta vie et moi ?

— Ce n'est pas le plus important. Si ? Sur certains domaines, il y aurait une séparation, oui, bien sûr. Mais tu serais libre de ton temps. Tu es attachée à des conventions au fond toi Rachel, c'est une difficulté avec toi. Je ne t'épouserai pas, et tu le sais, on en a déjà parlé. Allez, souris-moi, viens, allons rue Grande. On n'a plus beaucoup de temps.

Une bouteille de vin se trouvait sur la table, débouchée. Il a introduit un doigt dans le goulot, en la regardant droit dans les yeux, avec un sourire plein de sous-entendus, en faisant aller et venir ce doigt, à l'intérieur et à l'extérieur de la bouteille, plus ou moins vite, puis il a demandé l'addition. Et ils se sont précipités dans la voiture.

— Non Pierre, pas ici.

— On rentre à Châteauroux tout de suite alors.

— D'accord.

Il s'est garé dans la descente des Cordeliers, ils ont couru main dans la main jusqu'à la rue Grande.

— Tu me laisses décharger au fond de toi aujourd'hui ?

— Oui.

Ils se sont embrassés passionnément. Elle accrochait ses mains à son cou, à ses cheveux.

— Tu aimes être une femme ?

— En ce moment oui.

— Pourquoi ? Dis-moi. Pourquoi tu aimes être une femme ?

— Parce que je suis avec toi.

— C'est tout ?

— Je suis à toi.

— C'est tout ?

— J'aime ce que tu me fais.

— Qu'est-ce que je te fais ?

Il a appliqué sa paume sur son entrejambe, puis il a introduit un doigt dans la fente.

— Il y a une jolie petite fontaine là dis-moi...

Au bureau, elle faisait huit heures par jour. Les horaires étaient stricts, huit heures-douze heures, quatorze heures-dix-huit heures. Le 2 mai elle n'arriverait qu'à quinze heures. Ils ont déjeuné à l'hôtel du Faisan.

— Si tu veux venir à Paris, tu me tiens au courant.

Sur le parvis de la gare ils se sont séparés.

Elle a pris la direction de la Caisse. Elle ne pensait à rien. Elle est passée devant le building, elle a tourné à gauche dans la rue Victor-Hugo, elle a traversé la place de la Mairie, puis elle a pris la rue Jacques-Sadron. En arrivant elle a téléphoné à Nicole, qui travaillait au guichet, et elle a pleuré dans l'appareil.

Quinze jours après elle a reçu une lettre.

« Ma chère Rachel,

Les premiers jours de mon retour à Paris se sont passés en démarches de toutes sortes. Comme je le craignais, je suis arrivé trop tard pour la place qui m'était offerte. Mais une compagnie d'aviation m'a proposé un emploi intéressant. Après un examen passé avec succès, j'ai été agréé. Malheureusement j'apprends qu'il me faudrait aller à Toulouse. Bien entendu, je n'ai aucune envie de m'exiler à nouveau. Pour le moment je suis donc dans l'incertitude complète de mon avenir.

J'aimerais bien savoir ce que tu deviens et si tes journées se déroulent encore selon le programme que je connais ou s'il y a quelque chose de changé. Dis-moi ce que tu fais, et ce que tu éprouves.

Pour moi, le séjour à Paris a eu les mêmes effets que d'habitude. J'ai le sentiment de quelque chose de parfait, d'achevé, de définitif, qui me satisfait, et en même temps j'ai une certaine inquiétude morale. Imagine un équilibriste qui risque à tout instant de tomber dans toutes les directions, mais conscient que ce risque c'est son métier et sa vie.

Mon meilleur souvenir à ta petite sœur.

J'embrasse tes belles mains.

Ne m'oublie pas.

Pierre »

Elle lui a répondu, il a réécrit tout de suite.

« Ma grande fille,

Ta lettre m'a fait grand plaisir. Elle est si gentille. J'ai été heureux de retrouver ton parfum en regrettant qu'il ne s'y mêle pas celui de ta peau.

C'était une excellente chose de renouer de bonnes relations avec ton père. Il ne faut pas en rester là. Continue de lui écrire, vois-le. Tu aurais dû appliquer les mêmes principes réalistes, et te faire largement rémunérer, au lieu de refuser de défiler pour cette maison de couture qui te le proposait. Pourquoi ne pouvais-tu pas ? Quoi qu'il en soit, par contrecoup, je me sens flatté aussi. Si tu as l'intention de quitter Châteauroux, ne néglige pas de me tenir au courant.

Ici, il s'est produit un petit drame. Ma mère et ma nièce ont fait une chute ensemble, et ont dû être hospitalisées. Maintenant tout est rentré dans l'ordre. Mais cela peut-être et bien d'autres choses me font oublier de sourire. Pourtant avec toi il m'arrivait d'être gai et insouciant, n'est-ce pas ? J'aurais besoin que ta main longue et apaisante se glisse de temps en temps dans la mienne. Ça me ferait du bien.

J'attends avec impatience une lettre de toi et, tu sais, je ne vois aucune objection à ce qu'elle soit longue. Au contraire.

Mes plus douces pensées,
Pierre
PS : Merci pour la photo, dessus "je nous aime" beaucoup. »

Elle lui a écrit quelques semaines plus tard. Il fallait absolument qu'ils se voient, elle était enceinte.

Elle a reçu une réponse rapide : il ne pouvait pas venir à Châteauroux avant la fin de l'été, il avait besoin de vacances, il partait en Italie.

Quelques jours plus tard, une carte postée de Milan est arrivée qui représentait la cathédrale.

« Chère Rachel,

Après un agréable séjour à Milan, je suis maintenant invité à Rome. Je serai sans doute de retour vers le 20 et j'espère pouvoir te rencontrer bientôt. Ceci est écrit du toit de la cathédrale, qui est en forme de terrasse. Maintiens-toi en bonne santé. C'est important.

Pierre »

Une autre carte a suivi, postée de Rome. Elle représentait le visage de la *Pietà* en noir et blanc.

« Rachel,

C'est peut-être le plus beau visage de Rome que je t'envoie là. Je voudrais que tu y trouves la même émotion que celle qu'il m'a donnée.

Écris-moi : Pensione Ottaviani, via del Tritone 113, Roma

Je pense à toi,
Pierre »

Il a quitté l'Italie quelques jours plus tard. La lettre dans laquelle il annonçait son retour était à en-tête du Marcellin, un hôtel de Beaulieu-sur-Mer, il lui proposait de venir y passer une semaine de vacances avec lui.

« Chère Rachel,

Mon voyage en Italie est terminé. Il a été plein de merveilles et d'enseignements. Mais fatigant. C'est pourquoi, passant par la Côte d'Azur, j'ai décidé de m'arrêter ici pour me reposer huit ou dix jours et prendre de vraies vacances à la Hulot. Le début est très prometteur. La pension où je suis descendu, je pourrais presque dire où je me suis fourvoyé, est peuplée de vieux couples sortis du XIXe siècle. Elle est pot-au-feu et vieux jeu, mais au fond elle est tranquille. Dès demain, bains de mer et séances de bronzage. Je tiens à rentrer négrifié. Programme simple, mais sain. Je m'ennuierais bien sans doute un peu à la longue, mais après mes émotions touristiques d'Italie, une petite dose d'ennui ne peut me nuire.

Et toi, que deviens-tu ? Pourquoi ne viendrais-tu pas passer tes vacances sur la Côte ? Moi, je n'ai pas pu résister à la tentation de faire la connaissance de cette région.

Au revoir, Rachel. Porte-toi bien. Baisers, Pierre »

Pour aller sur la Côte d'Azur, il fallait passer par Paris. On arrivait à la gare d'Austerlitz, et à la gare de Lyon on prenait un train pour Nice. Il l'attendait, il avait loué une Quatre-Chevaux. Ils sont allés directement à Beaulieu-sur-Mer.

La semaine a été merveilleuse. Ils ont visité la côte. Ils sont allés partout. Ils ont eu des aventures. Ils roulaient sur la haute corniche, de Nice à Menton en admirant le panorama quand tout à coup le capot s'est relevé. Le capot des Quatre-Chevaux s'ouvrait par l'avant et se collait au pare-brise. Ils étaient aveuglés. Ils n'avaient plus aucune visibilité. Non seulement le panorama était bouché, mais la route, ou plutôt l'entrelacs entre les rochers qui serpentait à moins d'un mètre du précipice, était invisible, et la voiture roulait. Il a eu un bon réflexe, il a freiné lentement. Les roues ont avancé en douceur, et se sont arrêtées au bout de quelques mètres. Il est sorti, il a rabattu le capot solidement, et après cette grosse frayeur ils ont continué vers Menton.

Sur le port, il lui a acheté une petite broche, en métal, sans valeur, mais jolie, un hippocampe avec des yeux verts.

Au retour, le train de Paris était bondé. Ils étaient debout. À l'époque, le trajet durait huit ou neuf heures.

— Tu ne peux pas voyager comme ça dans ton état Rachel.

Ils sont descendus à Saint-Raphaël.

Comme il n'avait pas travaillé depuis plusieurs mois, que c'était la fin des vacances, qu'en Italie il avait beaucoup dépensé, et qu'il ne demandait jamais d'argent à son père, il n'avait plus rien. Le dernier soir, à Nice, au Palais de la Méditerranée, il avait voulu jouer, elle lui avait prêté son dernier billet de cinquante francs, il l'avait perdu, elle n'avait plus rien non plus.

Ils ont cherché une Caisse d'Épargne, il a retiré cent francs sur son livret, et ils ont réservé des places assises pour le lendemain.

Ils avaient un soir de vacances supplémentaire. Ils ont dîné dans un bon restaurant. Et ont passé leur dernière nuit dans un joli petit hôtel face à la mer.

Dans le train, ils ont eu une dernière conversation.

— Si tu avais été riche, j'aurais sûrement réfléchi.

— Ah bon...

— J'aurais réfléchi. Oui. C'est vrai. Je suis franc. Avec toi je l'ai toujours été. Je ne t'épouserai pas, je te l'ai toujours dit. Et... on était d'accord pour faire cet enfant.

— Oui.

— Tu es enceinte, mais que tu le sois effectivement ne change rien Rachel. N'est-ce pas ? On en avait parlé. N'est-ce pas ?

— Oui oui.

Il a réitéré la proposition qu'il lui avait faite le 2 mai, en quittant Châteauroux :

— Demande ta mutation. Je t'aiderai à trouver une chambre ou un petit appartement.

— Je vais réfléchir Pierre. Je te le promets.

— Réfléchis, et tiens-moi au courant.

— Je te donnerai ma réponse avant la fin du mois.

C'était les derniers jours de juin.

Ils se sont dit au revoir sur le quai de la gare d'Austerlitz. Les wagons étaient presque vides, elle était seule dans son compartiment. Un peu triste. Sans excès. Elle avait toujours su, au fond d'elle, que ça ne pouvait pas se passer autrement.

Arrivée à Châteauroux, elle a pris l'avenue de la Gare, et sur le chemin de la rue de l'Indre, les choses ont commencé à se dessiner. D'abord, elle allait dire à sa mère qu'elle était enceinte. Et si sa mère était d'accord, elle restait. Elles se sont assises toutes les deux à la table de la cuisine. Au bout d'une heure de conversation, la décision était prise. Elle restait.

Mais, contrairement à ce qui avait été décidé sur le quai de la gare d'Austerlitz, elle n'a pas fait part à mon père de sa décision. Elle a dit à Nicole :

— Non, je ne lui ai pas écrit. J'ai fait une rupture.

En octobre, une courte lettre est arrivée au courrier. Quelques lignes de l'écriture bien connue aux lettres minuscules et aux jambages démesurés.

« Chère Rachel,

Ne crois pas que j'aie oublié de te rembourser ce que je te dois. Mais, depuis les vacances, ma situation financière frôle la banqueroute, et ne s'améliore qu'à un rythme désespérément lent. Je n'ai pas encore pu rendre un sou à mon père des 80 000 francs qu'il m'a prêtés. Et, si mon frère n'est toujours pas en mesure de régler ce qu'il m'a emprunté, le percepteur, lui, s'est occupé de moi. Or, actuellement, je gagne moins que ce qu'on m'avait laissé espérer, environ 20 000 francs de moins qu'à Châteauroux.

Je ne voudrais pas que tu m'en veuilles d'avoir tardé à te rembourser la somme que tu m'as avancée à Nice au Palais de la Méditerranée. Je ne pouvais pas le faire plus tôt, j'espère cependant que tu n'as jamais douté que je le ferais.

Bonsoir Rachel.

Pierre »

C'était tout.

Le mot était accompagné d'un billet de cinquante francs.

Elle a regretté de ne pas l'avoir tenu au courant de sa décision. Elle a pensé qu'elle s'était mal comportée. Qu'elle avait une part de responsabilité dans la tournure que les événements prenaient. Un mot sec accompagné d'un billet de cinquante francs en remboursement de la somme qu'elle lui avait avancée pour jouer au Palais de la Méditerranée.

Elle allait être seule pour vivre les mois qui arrivaient, pour accoucher, et probablement pour déclarer l'enfant. L'assistante sociale de la Caisse était une amie à elle. Elle connaissait des cas où l'homme ne voulait pas de la femme mais voulait l'enfant. Pendant que celle-ci était immobilisée à l'hôpital, il allait à la mairie, le reconnaissait, l'épouse devenait la mère officielle. Pour contrer ce genre de situation, une loi venait de passer. C'étaient les toutes premières dispositions en direction des enfants issus de couples non mariés. Elle permettait à la mère de reconnaître l'enfant avant la naissance par une procédure en deux phases. Il fallait aller à la mairie munie d'un certificat de grossesse, et y retourner après l'accouchement avec le certificat de l'hôpital, pour préciser le sexe, le prénom et la date de naissance.

Elle était enceinte de cinq mois, et avait déjà pris beaucoup de poids. L'employé de permanence avait une quarantaine d'années, une plaque avec son nom, Georges Piat, était posée sur le guichet, elle lui a dit qu'elle souhaitait bénéficier d'une nouvelle procédure qui s'appelait « Reconnaissance avant naissance ». Il a pris un formulaire, l'a introduit dans la machine à écrire, lui a posé quelques questions, puis il a fait tourner le rouleau avec un bruit de crécelle, et fait glisser la feuille hors de la machine. Il l'a signée. Il a levé le visage vers elle, et la lui a tendue sans un mot.

Le papier était titré « Naissance », et stipulait :

« Le 20 octobre 1958, 15 heures 45 minutes, Rachel Schwartz, née à Châteauroux, le 8 novembre 1931, secrétaire, domiciliée à Châteauroux, Indre, Chemin des Prés-Brault, Nous a déclaré reconnaître pour son enfant, l'enfant, dont elle, Rachel Schwartz, déclare être actuellement enceinte. Lecture faite, la déclarante a signé avec Nous, Georges Piat, Chef de Bureau, Officier de l'État Civil de Châteauroux, par délégation du Maire. »

En bas, il y avait la signature de l'employé, son nom, sa fonction, et dans la marge, un numéro, le nom de ma mère et le nom de la procédure.

Dans la même période, elle a entendu parler d'une clinique, et d'un médecin très réputé, qui y exerçait. On y faisait des préparations à l'accouchement, et on n'y faisait que les accouchements. Cette clinique se trouvait route d'Argenton. Elle a décidé que ce serait là qu'elle accoucherait. Un voisin qui habitait dans le chemin, M. Ligot, lui a dit « quand vous aurez besoin de moi prévenez-moi », car il avait une voiture. Elle a senti les premières douleurs un soir vers onze heures, sa mère est allée le chercher. Il les a conduites à la clinique. On l'a installée dans une chambre. Elle avait des contractions, tout se déroulait normalement. On l'a amenée dans la salle de travail. Le médecin était là. Tout allait bien. Mais, à un moment, les contractions se sont arrêtées.

C'était peut-être une réaction, un effet d'origine psychologique, dont on aurait trouvé l'explication dans la façon dont les derniers mois s'étaient écoulés. L'accouchement est devenu compliqué. Il était trop tard pour faire une césarienne, j'étais trop avancée. Et elle n'avait plus de contractions.

Trente minutes c'était trop long, le temps de préparer la césarienne, je mourais. Le médecin a décidé d'avoir recours aux forceps. Elle avait eu des contractions toute la nuit, j'étais en danger. Il fallait l'endormir très vite. La suite allait être délicate. J'étais très engagée, et elle elle dormait. Il a fallu introduire les forceps sans me toucher, en faisant bien attention à ma tête.

Quand elle s'est réveillée, alors qu'elle était encore dans les brumes de l'anesthésie, ma grand-mère s'est approchée d'elle :

— Tu as une belle petite fille.

On m'a amenée à elle pour qu'elle me voie. Pas longtemps, elle était encore dans le brouillard. On m'a ramenée à la nursery. La sage-femme a posé la main sur son épaule, et lui a dit :

— Le médecin a fait un travail extra-ordinaire.

Elle l'a quittée pour la laisser se reposer dans sa chambre, sous la surveillance d'une infir-mière. Quand elle est revenue, elle a vu tout de suite que ça n'allait pas. Ma mère était très blanche. Elle faisait une hémorragie interne. Elle était à la limite de partir. L'infirmière ne s'était rendu compte de rien. Le médecin a été rappelé. Ils lui ont fait des transfusions en urgence. On lui en a fait une première avec du sang universel. Puis on a testé son groupe sanguin, et on lui en a fait une deuxième.

Le lendemain, j'étais dans la chambre avec elle. Elle se félicitait d'avoir choisi cette clinique plutôt que l'hôpital qui n'avait pas bonne réputation, on ne s'en serait sorties ni l'une ni l'autre. Elle est restée une dizaine de jours. Ma grand-mère venait nous voir tous les jours. Mon oncle et ma tante venaient aussi. Tous les gens proches venaient.

Quand elle est rentrée, ma grand-mère avait acheté du mimosa, un vase en débordait, jaune clair, sur le bahut de la cuisine. Son parfum enivrait. Elle s'est assise face à la fenêtre, j'étais dans ses bras.

Nicole est venue la voir dans l'après-midi.

— Tu sais, Nicole... tout à l'heure, j'étais là, assise sur cette chaise, j'avais Christine dans mes bras, je regardais dehors. Et j'ai pensé : Et puis, après !?

Quelques jours plus tard, elle a écrit à mon père en lui demandant de venir me voir. Il ne pouvait pas, il lui a envoyé un télégramme.

« Désolé, matériellement impossible venir aujourd'hui, Pierre. »

Il est venu en juillet. J'avais cinq mois. Il est resté une journée. Il est reparti le soir même. J'étais dans mon berceau.

Avant qu'il reparte, elle lui a dit :

— Ça serait bien que tu reconnaisses Christine.

— Je vais réfléchir. Je te dirai.

N'ayant pas de nouvelles au bout de quelques semaines, elle a réécrit. Sa lettre lui est revenue avec la mention « n'habite plus à l'adresse indiquée ».

Elle a pris un train pour Paris. En début d'après-midi elle s'est présentée à l'accueil de chez Michelin. C'était la seule adresse qu'elle avait. Elle a demandé à parler au directeur. On l'a fait monter au dernier étage. On l'a introduite dans un bureau.

Un homme de taille moyenne, qui avait visiblement des responsabilités, lui a indiqué un petit fauteuil.

— Je vous en prie mademoiselle.

— Votre fils et moi avons une petite fille.

Il était au courant. Son fils lui avait dit qu'il ne se sentait pas responsable.

— Je ne peux rien vous dire de spécial, je suis un père !

Le reste de l'entretien s'est déroulé sans heurt. Il lui a parlé très calmement.

Quelques semaines plus tard, elle a reçu une lettre de Strasbourg. Sur l'enveloppe, la fine écriture aux jambages démesurés : Mademoiselle Rachel Schwartz, Chemin des Prés, Rue de l'Indre, Châteauroux.

C'était une lettre de quelques lignes, et il lui donnait sa nouvelle adresse. Quand mon oncle faisait une jolie photo de moi, elle la lui envoyait. L'une d'elles a été prise au bord d'un étang. Je souriais. J'étais coiffée d'un chapeau de paille trop grand pour moi qui lui appartenait.

L'été de mes deux ans, elle a décidé qu'on irait à Arcachon dans un petit hôtel. Elle lui a écrit en lui proposant de venir y passer le week-end du 14 Juillet.

« Chère Rachel,

Vraiment, tout bien considéré, notamment l'énorme distance, il ne me sera pas possible d'aller à Arcachon. D'abord, j'appréhende un long voyage aller et retour tout seul, ensuite, et c'est là un élément nouveau, j'aurai un travail à terminer chez moi pendant l'été. Ce que je suis en train de faire au bureau n'en finit pas, et je ne peux pas laisser traîner trop longtemps, de sorte que je profiterai de ce long week-end pour avancer dans mon travail tranquillement.

Mais je serai tout de même près de toi par la pensée. Bonnes vacances et une bonne brise de mer !

Pierre »

Malgré les difficultés que rencontrait dans ces années-là une mère célibataire, qui plus est dans une petite ville, elle n'avait pas de regret. D'abord parce qu'elle avait vécu une grande passion. Elle me montrait la photo prise de lui dans la campagne, en appui sur un poteau, et celle d'elle au même endroit dans la même position. Et puis j'étais là.

Elle ne regrettait pas d'avoir décliné la proposition de vivre à Paris. Rétrospectivement elle mesurait l'erreur qu'elle avait failli commettre. Qu'aurait-elle fait là-bas, seule avec moi dans une petite chambre, avec lui qui serait venu la voir de temps en temps, sans la présenter à ses parents, sans l'épouser, sans lui offrir aucune stabilité, aucune protection, aucun environnement social, alors qu'elle aurait été dans un lieu inconnu, sans aide, sans soutien ?

Elle avait commencé avant ma naissance à reprendre tous ceux qui l'appelaient mademoiselle. Depuis que j'étais née, tout le monde ou à peu près l'appelait Mme Schwartz.

Elle me trouvait un peu nerveuse, mais sensible, gentille et affectueuse. Mon bonheur était évident. Mon oncle m'a photographiée à califourchon sur un cygne à bascule, posé sur la table de la cuisine. Comme je m'étais cogné le nez plusieurs fois sur le cou en bois, ma grand-mère avait confectionné un coussin rembourré pour amortir les chocs. Je me balançais dessus avec énergie, et j'éclatais de rire. La photo a été envoyée à mon père.

À trois ans, j'allais chez l'épicier toute seule, et je circulais librement dans les limites de quelques rues. Les voisins me croisaient dans le chemin. Ils me demandaient de leur chanter une chanson, de danser le twist, je n'avais pas besoin de musique. Il y avait d'autres enfants de mon âge dans le quartier. Nathalie Olejnik habitait au 38 de la rue de l'Indre, juste à côté du porche sous lequel on passait pour entrer dans le chemin. J'allais chez elle tous les jours. Je repartais avant le retour de son père.

— Mais voyons, il est très gentil M. Olejnik, Christine. T'as rien à craindre,

— Je sais Mémé, mais j'ai peur.

— Tu as aucune raison d'avoir peur, il n'y a aucun danger.

— Oui, mais j'ai peur des pères.

— Il faut pas Christine.

— Je sais mémé, mais je préfère partir avant qu'il arrive.

Chantal Ligot habitait juste en face. Chez elle, il y avait des lapins et des poussins. Pour y aller il suffisait de traverser le chemin.

Le soir, on dînait dans la cuisine. Parfois, au cours du repas, tout à coup je me levais. Je faisais le tour de la table, j'embrassais ma mère, puis ma grand-mère, ou l'inverse. Je les serrais dans mes bras. Et je me rasseyais. J'adorais ma grand-mère. J'aimais ma mère.

— Plus loin que l'infini.

Dès que j'ai su écrire, j'ai écrit des poèmes sur sa beauté. Et sur les sentiments que j'éprouvais. Je faisais des projets de voyage avec elle, et je dessinais les plans de la maison idéale où on habiterait quand j'aurais grandi.

Je ne devais pas quitter la table avant la fin du repas. Un jour on m'attendait dehors.

Une banane était posée dans mon assiette, je n'en voulais pas. Elle a insisté. J'ai quitté la table. Et j'ai lancé la banane à travers la pièce. Elle a atterri à l'autre bout de la cuisine.

— Christine, tu ramasses cette banane.

Elle s'est levée, et s'est postée devant la banane.

— Christine tu ramasses la banane.

Son ton était ferme. Elle se tenait droite.

— Tu ramasses cette banane Christine.

J'avais les yeux au sol. Elle me regardait, articulait.

— Christine. Tu ramasses cette banane !

Elle a répété la phrase en allongeant les silences. En appuyant son regard. Ma grand-mère ne disait rien. Je suis sortie de la cuisine, et je suis allée dans ma chambre. J'en suis revenue avec ma poupée dans les bras. Je me suis postée devant la banane.

— Ramasse la banane, poupée.

J'ai insisté.

Puis j'ai cédé :

— Tu ne veux pas ramasser la banane, poupée ? Eh bien, Christine va la ramasser.

Je suis sortie.

Elles ont éclaté de rire, seules dans la cuisine.

Une autre fois, je refusais de manger ma soupe, j'avais posé mes coudes sur la table, et pris ma tête entre mes mains, je la balançais de droite à gauche en m'appuyant alternativement sur mes coudes :

— Ah la la mon Dieu, qu'est-ce que j'en ai marre, mon Dieu, mais j'en ai marre, j'en ai marre, j'en ai marre, mais j'en ai marre !...

Mais j'en ai marre, mais marre, mais j'en ai marre, marre, marre, mais marre ! J'en ai marre j'en ai marre j'en ai marre, mais qu'est-ce que j'en ai marre, mais qu'est-ce que j'en ai marre mon Dieu...

Elles échangeaient des coups d'œil, et attendaient que je sois sortie pour faire des commentaires.

Comme j'aimais le rouge, ma grand-mère me tricotait des pulls rouges, des écharpes rouges. Parfois pour me faire plaisir, ma mère m'habillait tout en rouge. On est entrées dans une boulangerie un jour, j'avais un petit manteau rouge et un pantalon rouge, on m'a demandé si j'étais le Petit Chaperon rouge. J'ai répondu, il y a eu une petite conversation, une fois servies on est sorties. La porte était en train de se fermer, et pendant qu'elle finissait de tourner sur ses gonds :

— Qu'est-ce qu'il est mignon ce petit.

A dit quelqu'un à l'intérieur.

— Ça se voit bien que je suis une fille, ils sont bêtes maman ces gens.

On était dehors.

— Ils n'ont pas fait attention. Tu as un pantalon, t'as les cheveux courts.

— Mais même ! Même si j'ai un pantalon et les cheveux courts. Ils sont bêtes.

Il n'était pas envisageable de rectifier, la porte venait de se refermer. On marchait. On s'éloignait.

— Ils n'ont pas fait attention, c'est tout. Ils étaient en train de travailler.

— Le Petit Chaperon rouge était une fille de toute façon. Ils le savent très bien.

Certaines choses me mettaient hors de moi. Comme là. Qui elles ne la dérangeaient pas. J'ai continué de marcher à côté d'elle en lui donnant la main. Je n'aurais pas eu l'idée de la lui retirer.

Parfois, je décidais de courir devant elle, je prenais quelques mètres d'avance, puis je me retournais. Et je fonçais vers elle pour qu'elle m'attrape. Elle me prenait dans ses bras, elle me soulevait, et me faisait tourner autour d'elle :

— Wouououououou... Wouououououou... Wouou ououou...

Ça ne signifiait rien. Ça suivait le rythme de ses pas, qui tournaient sur eux-mêmes.

Si je faisais une bêtise, elle m'expliquait pourquoi je méritais une punition. Elle allait me donner une petite fessée. Je lui présentais mon derrière. Et elle me l'administrait. Ensuite je lui demandais pardon et je l'embrassais.

Pour le Noël de mes trois ans, elle m'a offert un petit tricycle rouge. J'en faisais dans le chemin et dans le jardin. On me voyait pédaler de la fenêtre. Un jour, je pédalais dans l'allée du jardin, j'avais une petite jupe rouge, elle me regardait de temps en temps. Et puis, elle ne m'a plus vue. Entraînée par le rythme de mes pieds sur les pédales, je n'avais pas pu freiner. J'étais tombée dans la rivière. Elle entendait crier. Elle a couru. J'étais tout au bout de l'allée, j'étais sortie de la rivière, je tenais mon vélo à la main. J'étais trempée. Ma jupe dégoulinait. Et je hurlais :

— Je suis tombée dans l'eau Je suis tombée dans l'eau Je suis tombée dans l'eau Je suis tombée dans l'eau Je suis tombée dans l'eau Je suis tombée dans l'eau Je suis tombée dans l'eau Je...

Ad libitum sans pouvoir m'arrêter, et en sanglots.

Elle m'a séchée et mise dans son lit avec deux gros oreillers derrière le dos.

On passait nos dimanches avec mon oncle, ma tante et mes cousines. Il y avait un étang aménagé à une trentaine de kilomètres de Châteauroux, à Bellebouche. On y allait dès les beaux jours. On se baignait, on s'amusait. Mon oncle, après m'avoir prise par un poignet et une cheville, me faisait tourner autour de lui, comme un avion dans l'air, monter, descendre et planer. On rentrait à la nuit tombée. L'automne on allait dans la forêt du Poinçonnet. On jouait à cache-cache dans les sous-bois, on ramassait des glands, des feuilles mortes, de la mousse. Ou on allait au jardin public. On passait par le raccourci qui allait de la maison à la grille du bas. Il y avait un petit cours d'eau avec un passage à gué. Je le franchissais en sautant de pierre en pierre, ma cousine me suivait. Une allée plantée de marronniers conduisait aux balançoires. Malgré les mises en garde, un jour j'ai couru dessous. L'une d'elles m'a frappée à l'arcade sourcilière. Le sang s'est mis à couler. Je m'étais peut-être crevé un œil. Elle s'est précipitée. Mon oncle était affolé à la vue de tout le sang qui jaillissait. Il m'a portée dans ses bras, à la recherche d'un médecin, vers l'autre sortie du jardin public, celle qui donnait sur l'avenue de Déols. Juste avant il avait pris une photo. Je portais une petite jupe à bretelles et un gilet en mohair.

Quand il photographiait quelque chose, mon oncle aimait qu'il y ait une perspective, un fond, quelque chose à l'arrière, des fleurs, un paysage, une échappée derrière la personne, le groupe, le moment qu'il immortalisait. Beaucoup de photos ont été prises dans le chemin, Chantal Ligot sur son cheval à bascule, mes cousines, mon petit copain Jean-Pierre qui me promenait dans une brouette, moi en train de faire du vélo. D'autres ont été prises dans la cour. Celle d'un petit fauteuil en rotin, à ma taille, dans lequel ma poupée était assise. On me voyait penchée sur elle, j'étais debout, attentive, ma grand-mère était derrière moi en train de toucher une feuille de lilas.

Presque toutes les femmes s'arrêtaient de travailler au mariage, ou à la naissance de leur premier enfant. Le soir, elles étaient à la sortie des classes. Ma mère était une des rares qui n'y étaient pas, elle sortait du bureau trop tard. Je rentrais à la maison toute seule, par une petite ruelle à droite en sortant de l'école. Puis je prenais la descente des Cordeliers, une rue pavée qui descendait, tournait et croisait la rue de l'Indre. Au croisement je m'arrêtais. Je m'installais à l'angle. Je jouais avec des limaces, je décollais les escargots, qui faisaient ventouse sur le pavé, accroupie, attentive, absorbée par ce que je faisais, sous une petite pluie fine. Et je repartais. Je contemplais à mes pieds du haut de ma taille les chaussures vernies noires qu'elle m'avait achetées. Je descendais la rue de l'Indre jusqu'au 36, je passais sous le porche, et j'entrais dans le chemin.

— Bonjour Christine ! Alors, t'as bien travaillé à l'école ?

Dans le chemin, il y avait du monde. Des voisins qui me saluaient. Des passants. Le quartier n'avait pas encore été réhabilité. Mais des promeneurs regardaient déjà les femmes laver leur linge dans les lavoirs.

Du haut des marches de la maison, j'observais les allées et venues. Ma grand-mère était souvent en maison de repos ou à l'hôpital. Quand elle était là, la plupart du temps elle était couchée. Je restais assise en haut des marches. Je jouais avec ma poupée. Je regardais le jardin, l'énorme cerisier, les tomates, les iris, le poirier dont les branches dépassaient dans le chemin. Parfois, un passant cueillait une poire.

— Eh dites donc vous là-bas, je vais vous apprendre, moi, à voler mes poires !

Une petite fille de quatre ans qui apostrophait un passant, ça amusait les gens. Le voisin qui a vu la scène la lui a racontée le soir.

— Ben dites donc madame Schwartz, c'est que la maison est bien gardée !

Le samedi, elle ne travaillait pas, elle venait à la sortie de l'école. On faisait un tour par le centre-ville avant de rentrer. On passait par la rue Grande. Une pâtisserie vendait des palets aux noisettes, on s'y arrêtait. On parlait de ce qui s'était passé dans la journée. Mon oncle travaillait aux Nouvelles Galeries, parfois on allait le voir, on traversait le parking de la mairie.

— Regarde maman, une Dauphine, tu trouves pas qu'on dirait qu'elle sourit ?

— Je sais pas.

— Mais si ! Regarde, le pare-chocs. On dirait une bouche. Une bouche qui rit. Tu vois ? Regarde. Tu vois ses dents ?

— Peut-être...

On était d'accord sur la R8, la voiture de mon oncle, elle était sympathique, et sur l'Ami 6, elle se balançait trop.

— Et puis, tu trouves pas que, « Ami », c'est forcé comme nom ? Qu'est-ce qu'ils en savent qu'on est leur ami ?

— C'est des noms qu'ils donnent aux voitures comme ça, tu sais.

La DS était la voiture du docteur Rosenberg, le médecin qui me soignait.

— Je préfère la Ford Taunus, quand je serai grande j'en aurai une.

— Je sais pas s'ils en feront encore à ce moment-là.

— Ah, une Quatre-Chevaux, je déteste cette voiture. Tu trouves pas qu'elle a un air méchant ? On dirait qu'elle a fait quelque chose de mal et qu'elle a honte. Elle nous regarde par en dessous, tu trouves pas ? Et puis elle est triste avec toujours sa couleur grise là.

— C'était pourtant la voiture qu'on avait ton papa et moi quand on a passé une semaine de vacances à Beaulieu-sur-Mer. Et elle nous a été bien utile pour nous balader dans la région. On est allés à Nice, à Vallauris, à Saint-Jean-Cap-Ferrat, à Èze, à Menton. On avait fait toute la corniche. C'était magnifique. Ç'avait été une semaine extraordinaire.

Elle me parlait de lui. Tous les enfants avaient un père. Le mien était un intellectuel. Il connaissait plusieurs langues. Ils s'étaient aimés. Ç'avait été un grand amour. J'avais été désirée. Je n'étais pas un accident. Elle avait été fière de me porter pendant neuf mois. Malgré les quolibets, et les phrases dites dans son dos. Maintenant j'étais là. Elle en était heureuse. Où était mon père, ce qu'il faisait, ne regardait pas les gens. Si on me posait la question, il était mort, ou en voyage.

La maison était chauffée par un poêle à charbon qui se trouvait dans la cuisine. C'était tout. Ma grand-mère a refait une congestion pulmonaire. Ma mère a écrit à mon grand-père en lui demandant une aide financière, pour l'installation du chauffage central. La réponse est arrivée par une lettre postée du Niger. Cette maladie était un prétexte, il refusait. Le lit de ma grand-mère a été transporté dans la cuisine. Elle passait ses journées sur une chaise longue à lire, à coudre ou à tricoter. La nuit, elle s'asseyait dans son lit contre des oreillers surélevés. Dans la position allongée à cause de son asthme elle étouffait.

Ma mère et moi dormions dans la pièce contiguë à la cuisine. Son lit était au milieu. Le mien sous une fenêtre, d'où on voyait la lune. Le soir, on récitait en chœur un *Notre Père* ou un *Je vous salue Marie*. Je me mettais à genoux au pied de mon lit. Puis je demandais à Dieu de protéger ceux que j'aimais :

— Ma maman, ma mémé, mon papa.

Après avoir caressé ma joue, elle l'embrassait. Elle sortait de la pièce en tirant la porte derrière elle et en laissant filtrer un rai de lumière.

La rupture avec mon père n'avait pas été nette. Rien ne lui interdisait d'espérer un revirement. Elle ne supportait pas que soit inscrit « née de père inconnu » sur mon acte de naissance. C'était une mention fausse. Injuste. Elle espérait qu'elle serait corrigée. Qu'il me reconnaîtrait, que ce serait une reconnaissance légale et officielle. Régulièrement, dans ce but, elle lui écrivait. Ses reprises de contact avaient un deuxième objectif, le revoir.

« Chère Rachel,

Depuis la fin de l'année dernière, j'ai encore changé d'adresse et d'occupation. Tu peux m'écrire désormais : 22, rue du Temple-Neuf, Strasbourg. Mais je n'ai presque plus l'occasion d'aller à Paris.

Mon meilleur souvenir,

Pierre »

Il avait trouvé un emploi stable et lucratif, il travaillait au Conseil de l'Europe. C'était net d'impôt. Il était fonctionnaire international. Il encadrait l'équipe des traducteurs de langues indo-européennes et effectuait certaines missions à titre personnel.

L'été de mes quatre ans, elle a voulu trouver un lieu de vacances qui ne soit pas trop éloigné de Strasbourg. Le Jura ou les Vosges.

« Chère Rachel,

Ta lettre m'a appris que tu passerais sans doute tes vacances dans le Jura ou dans les Vosges. Si tu décides de les passer dans les Vosges, je te conseille le versant Est, car il y pleuvra beaucoup moins. Au contraire, les pluies venues de l'Atlantique se heurtent au versant Ouest et s'y déversent souvent de longues semaines sans interruption. Bien entendu, je suppose que ton choix dépendra des réponses que tu auras reçues des hôteliers.

Quant à moi, je prendrai mes vacances au mois de juin, et serai de retour à Strasbourg vers le 8 ou le 10 juillet. Si tu me donnes ton adresse à l'hôtel, nous pourrons peut-être nous voir. Mon meilleur souvenir,

Pierre »

Nous sommes allées dans les Vosges. À Gérardmer.

Il est venu nous voir une journée. On a fait du pédalo sur le lac. J'étais contente. Je l'ai appelé papa. Une photo a été prise par un photographe de rue. J'avais une robe à bretelles, un bandeau rouge dans les cheveux, je portais ma poupée dans les bras. Le souvenir s'est effacé de ma mémoire. Mais la photo a été agrandie et dupliquée.

L'année d'après, elle a choisi le Jura.

« Chère Rachel,

Ta dernière lettre me dit bien que tu as l'intention de passer tes vacances à Lons-le-Saulnier, mais elle ne me dit pas quand. J'espère que tu trouveras l'occasion de me l'écrire et, s'il n'y a pas d'empêchement majeur, je m'arrangerai pour aller faire un tour de ce côté-là. Il y a un mois, je suis passé par Châteauroux, mais dans de bien pénibles circonstances qui ne m'ont pas permis de m'arrêter fût-ce une minute, bien que j'y aie songé. J'accompagnais ma mère dans son pays natal, pour son dernier retour. Je ne pouvais pas m'écarter du convoi. J'ai eu une longue pensée pour toi, que je t'exprime maintenant avec mes meilleurs vœux de santé à toi et à Christine.

Pierre »

Sa mère s'était suicidée. Elle avait sauté du quatrième étage. Mon père était à Strasbourg. Le reste de la famille venait de finir de déjeuner boulevard Pereire. Ils avaient l'intention d'aller faire un tour au parc Monceau. Elle n'avait pas voulu les accompagner. Ils venaient de descendre l'escalier, et d'arriver dans la cour de l'immeuble. Ils étaient en train de la traverser. Le corps s'était écrasé aux pieds de son frère.

L'enterrement a eu lieu à côté de Carcassonne. Dans le village où soixante ans plus tôt elle était née. Il venait de perdre sa mère, elle lui a écrit une gentille lettre.

L'année de mes cinq ans, j'ai changé d'école. Ma grand-mère n'avait plus la force de me faire déjeuner, et mon école n'avait pas de cantine. L'école privée de la ville, Jeanne-de-France, donnait sur la place Lafayette, faisait pension, c'était juste à côté de la maison. Les notables de Châteauroux et les agriculteurs de la région, qui préféraient que leurs enfants ne soient pas scolarisés à la campagne, y mettaient leur fille.

En plus de son asthme et de son infection pulmonaire, ma grand-mère a fait une tuberculose un peu particulière, le mal de Pott. Il se logeait dans les reins et ne se soignait qu'allongé. Comme allongée elle étouffait, traiter une de ses maladies aggravait l'autre. Les soins étaient compliqués. Elle a été transférée à l'hôpital. Quelques jours après, elle est tombée dans le coma.

Tous les soirs, en sortant du bureau, ma mère allait la voir. Elle tenait dans la sienne sa main inerte. Parfois ses paupières tremblaient. Un soir, ses yeux se sont ouverts. Elle a vu ma mère. Elle a serré sa main. Elle a serré ses doigts très fort, elle a dit :

— Ah !!! Ma fille !

Elle venait d'avoir un regain de conscience et d'énergie. Puis la main s'est relâchée. Elle a fermé les yeux. Et elle est morte.

« Chère Rachel,

La nouvelle que tu m'apprends me laisse facilement imaginer combien tu dois être malheureuse. Mais sois bien persuadée, comme je le suis, que ta mère n'est pas morte complètement. Non pas que je me sois converti à l'immortalité de l'âme, mais je suis certain que tu portes en toi l'empreinte de son caractère et de son cœur. Vois-tu, on ne meurt jamais entièrement, parce qu'on transmet aux autres, aux survivants, surtout à ceux qui vous aiment et vous connaissent bien, un peu de son être. De la même façon que tu es étonnée d'hériter de biens matériels que tu connaissais sans y penser, tu te trouves à la tête d'un précieux héritage spirituel, dont l'ampleur t'apparaît brusquement. Telle est en tout cas la découverte que j'ai faite à la mort de ma mère, et sans doute celle que tu fais. Quand on le comprend, la mort de ceux qu'on aime est beaucoup moins triste. Il dépend de nous de les faire vivre au-delà de leur disparition physique en pratiquant et en transmettant leurs qualités.

J'aurais voulu prononcer de vive voix ces paroles. Mais, malheureusement, il m'est absolument impossible de te rencontrer à Lons-le-Saulnier aux dates qui sont les tiennes. Il m'a été difficile d'obtenir mes vacances en juillet et maintenant tout est organisé. Le reste de l'été, ma présence au bureau est indispensable. Mes dates ne peuvent pas être déplacées. Il ne m'est vraiment plus possible de changer quoi que ce soit. On pourra envisager un rendez-vous plus tard si tu veux. À moins que toi tu puisses changer, et prendre tes vacances en août. Dans ce cas-là, je pourrais certainement m'absenter le temps nécessaire. Écris-moi à ce sujet si tu vois une solution.

Mon meilleur souvenir à toi et à Christine, Pierre »

On est allées à Lons-le-Saulnier en août.

Il est venu nous voir une journée. On s'est promenés. Elle a été contente. Et triste au moment du départ. Un départ c'était *le* départ.

Le départ avec un grand D. Celui de son père sur le quai de la gare de Châteauroux. Elle a quatre ans. Les portes des wagons ne se ferment pas encore automatiquement. Un voyageur peut rester dans l'entrebâillement. Elle est sur le quai. Elle regarde la silhouette dans la porte ouverte. La main s'agite. Le train s'ébranle. Puis s'éloigne, avec la silhouette qui disparaît. Plus rien pendant treize ans. Puis, la silhouette sur le même quai. Elle avait dix-sept ans. Il est descendu du train, il l'a prise dans ses bras. Et il a eu un sanglot en l'étreignant.

— C'est qui cet homme, là, qui sanglote en me prenant dans ses bras ?

Elle savait bien sûr qui c'était.

Le décès de leur mère coup sur coup la même année les a rapprochés. La journée à Lons-le-Saulnier s'était bien passée. Le rythme des lettres a repris. Vers la fin de l'année elle en a reçu une qui se terminait par ces mots : « J'ai envie de vous voir. J'en ai très envie. »

« Chère Rachel,

Ta lettre m'a fait plaisir et je t'assure que je saisirai la première occasion d'aller te voir. J'en ai envie. Je ne comprends pas pourquoi tu es obligée de quitter ton logement Chemin des Prés. Mais je pense que je ne tarderai pas à le savoir. Je le répète : j'irai bientôt vous voir toutes les deux dès que je pourrai, pour une raison bien simple : J'ai envie de vous voir. J'en ai très envie.

Pierre »

C'était une lettre courte, mais il y disait :
« J'ai envie de vous voir. J'en ai très envie. »
Le temps avait passé. Les choses évoluaient,
les gens changeaient, il avait perdu sa mère,
il avait mûri. Le soir dans son lit, quand elle
avait les yeux fermés, la phrase venait la
bercer, « j'ai envie de vous voir, j'en ai très
envie ». Et à la fois l'empêcher de dormir.

Elle a reçu une deuxième lettre quelques
jours plus tard. Il annonçait son arrivée pour
la fin du mois ou le début du suivant. Probablement un dimanche. La phrase roulait
dans sa tête : « J'ai envie de vous voir. J'en ai
très envie. » On n'écrivait pas ça sans raison.
Ce « vous » n'était pas anodin, « J'ai envie
de *vous* voir ». Allait-il me reconnaître ? Les
jours passaient. La fin du mois approchait.
Elle a reçu une nouvelle lettre. Il précisait
le jour et l'heure de son arrivée.
« Chère Rachel,
Je passerai à Châteauroux le 13 février, et je
compte rester le dimanche. J'espère que vous
serez là et que je pourrai vous voir. Quant
à l'heure de mon arrivée, elle se situera vers
six ou sept heures du soir, peut-être avant.
Mais il m'est vraiment difficile de préciser
davantage. En cas d'empêchement, tu peux
téléphoner au 35-34-00, ou télégraphier ou
écrire, bien entendu.
D'ici là, bonne santé à toutes les deux et à
bientôt.
Pierre »

On a frappé à la porte. Elle souriait, heureuse. C'était lui.

— C'est ton papa.

Je venais tout juste d'avoir six ans.

— Mais si Christine voyons tu le connais. Tu l'as vu à Gérardmer quand tu étais toute petite. Tu te souviens qu'on avait fait du pédalo ?... Eh bien, c'était avec ton papa...

On a dîné tous les trois. Quand j'ai été couchée, ils ont discuté.

— J'ai quelque chose à te dire.

— Oui...

— Je suis marié.

Il lui a décrit sa femme.

— Blonde. De taille moyenne. Les yeux bleus. De très beaux cheveux. Elle est allemande. Très jeune. Elle est née à Hambourg. Son père est médecin. Elle est enceinte, il a fallu qu'on se marie très vite. Je vais avoir un enfant. Je ne pensais pas l'épouser, tu connais mon point de vue. Mais son père a été très convaincant, et au fond je suis très heureux. En particulier d'épouser une Allemande.

— Pour quelle raison ?

— Ce sont les seules femmes en dehors des Japonaises, qui aiment vraiment s'occuper des hommes. Il y a eu tellement d'hommes tués en Allemagne pendant la guerre. Les Allemandes sont aux petits soins pour eux. Et son père a beaucoup insisté. Ça a compté. Bon. Ils sont assez fortunés. C'est une famille cultivée. Ce sont des gens agréables. Très mélomanes, comme tous les Allemands d'un certain niveau. Ils sont de bonne compagnie comme on dit, en somme.

Elle n'a pas pleuré devant lui. Intérieurement elle était effondrée. Elle l'a écouté les yeux secs jusqu'au bout. Mais l'effort qu'elle faisait pour ne rien laisser paraître la trahissait. Ça durcissait ses traits. Il lui a dit sur un ton sentencieux :

— Un jour, tu te demanderas comment tu as pu éprouver de tels sentiments pour moi. Et ce jour-là sera bien triste !

Après, il a essayé de la caresser. Elle l'a repoussé. Il a insisté. Il lui a dit qu'il n'avait pas les mêmes rapports avec sa femme, qu'il n'était pas tendre de la même façon. Elle n'a pas cédé. Il était tard. Elle l'a laissé dormir à la maison. Mais au petit matin :

— Maintenant, tu t'en vas !

Elle a ouvert la porte. Je venais de me lever. Il m'a dit au revoir. Il a descendu le petit escalier. On l'a regardé partir du haut des marches. Il a traversé la cour. Et il a disparu dans le chemin.

Là elle s'est effondrée. En sanglots. Elle pleurait d'autant plus que la surprise était totale. Comment aurait-elle pu imaginer, la veille, qu'elle se retrouverait dans cet état le lendemain ?

C'était le trou noir.

— Viens, on va aller chez tata et tonton. On va pas rester là toutes les deux.

Mon oncle et ma tante habitaient à quinze minutes à pied. Dans un quartier de HLM proche du centre, dont la construction datait du début des années cinquante. On a marché dans les rues vides un dimanche à cette

heure-là. On est arrivées, on a monté l'escalier, ma tante a ouvert la porte :

— Ça va ?

Elle était surprise, on était censées être
occupées tout le week-end.

— Ohhh Didi...

— Ça va pas ? Qu'est-ce qui se passe ?

— Ohhh. Didi. Didi. C'est dur Didi.

Elle haletait. Elle faisait des bouts de
phrase.

— Elle est trop dure la vie. Trop trop dure.

— Ça s'est pas bien passé ?

— Non. Pas du tout. Ça s'est pas bien
passé du tout. Il est marié.

Je suis allée dans la chambre de mes cousines, elle a suivi ma tante dans le salon.
Mon oncle était là. Elle s'accusait. Elle s'était
fait un film. Elle avait été bête, elle avait été
naïve. Elle y avait cru. Tout ça à partir d'une
petite phrase. « J'ai envie de vous voir. J'en
ai très envie. » Et voilà, elle s'était mise à
extrapoler.

Il y avait un terrain derrière l'immeuble, et
devant une esplanade avec de la pelouse et des
allées. Marie-Hélène et moi sommes sorties
jouer. On est restées dehors toute la matinée.
Accroupies, à frotter des petites poignées de
terre entre nos deux paumes, longuement,
jusqu'à ce qu'elles retombent en poussière
toute fine. Après avoir bien tamisé la terre
pour lui donner la consistance du sable fin,
et l'avoir reprise dans le creux de nos mains,
on a fait le tour de la pelouse, en criant pour
la vendre :

— Qui veut du sable doux, qui veut du beau sable doux ? Qui veut mon beau sable doux ? Qui veut acheter mon beau sable doux ?

Puis on est remontées dans l'appartement.

Le soir on est restées dîner.

On est rentrées à la maison à la nuit tombée.

C'était la première fois que le contact était rompu. Elle venait de lui dire : « On n'a plus rien à faire ensemble. » Puis : « Maintenant, tu t'en vas. » Il était parti. Il lui avait apporté une ouverture sur un monde, et elle avait eu pour lui des sentiments qu'elle n'avait jamais ressentis auparavant.

Les premières zup se construisaient à la périphérie des villes. La cité Saint-Jean avait l'allure d'un quartier américain, mais se situait à la lisière de la campagne, juste après les rues calmes qui sortaient des boulevards. La maison avait besoin de travaux. Il fallait isoler les murs, installer une salle de bains et refaire la toiture. Elle ne pouvait pas. Elle l'a mise en vente. Un acquéreur s'est présenté, d'après lui, vu son état sa valeur était celle du jardin. Il en offrait une toute petite somme. Elle l'a acceptée. Elle a fait une demande de logement pour la cité Saint-Jean. Et on est allées habiter au septième étage d'une tour qui en avait dix-huit.

Elle a acheté des meubles en rotin pour ma chambre, lit, table de chevet, chaise, fauteuil, et un tissu imprimé bleu, dans lequel elle a cousu des rideaux, un dessus-de-lit et des coussins. Les fenêtres étaient en plein ciel. Quelques semaines après notre installation, j'ai ouvert celle de ma chambre, et à genoux sur une chaise, j'ai commencé à scruter les nuages, accoudée au rebord.

— Mémé, Mémé !

Ma grand-mère était censée être au ciel.

— Mémé ! Mémé !

J'ai supposé qu'il lui fallait du temps pour apparaître. J'ai attendu un peu.

— Mémé !

Puis les intervalles entre mes appels se sont rapprochés.

— Mémé !! Mémé !!

Nos chambres étaient séparées par une fine cloison, on entendait tout.

— Mémé !!! Mémé !!!!

Ma mère est venue voir. J'étais à genoux sur la chaise.

— Mémé !!!

Je levais la tête dans la direction du ciel, le dos tourné à la porte.

— Mémé, Mémé !! Mémé !!!!

Puis je me suis mise à pleurer.

— Mémé Mémé Mémé Mémé Mémé Mémé Mémé Mémé Mémé Mémé Mémé Mémé Mémé...

Je n'avais plus de souffle, mon cri se transformait, ça devenait un son informe.

— Héhé héhé héhé.

Un son dégradé, ininterrompu, mal articulé :

— Héhéhéhéhéhéhéhé.

Une seule voyelle, sans énergie :

— ééééééé...

— Christine. Descends de là. Viens. Viens me voir. Ça ne se passe pas comme ça Christine.

Je suis descendue de la chaise, et je l'ai vue, dans l'entrebâillement de la porte.

— Mémé ne va pas apparaître.

Elle s'est approchée de moi et s'est accroupie à mon niveau.

— Viens Christine, viens là, ne pleure pas ma petite fille.

— Tu m'avais dit qu'elle était au ciel. Si elle est pas au ciel, alors, elle est où Mémé ?

— Si, elle est au ciel. Elle te voit, elle. Nous, on ne peut pas la voir. Mais elle, elle nous voit.

L'appartement était un trois-pièces. Avant d'emménager on nous avait demandé quelle couleur de papier peint, entre jaune et bleu, on préférait pour nos chambres, j'avais pris bleu. C'était un papier d'apprêt bleu-gris. Ce n'était ni un bleu turquoise, ni un bleu franc, ni un bleu ciel. Le jaune, qu'elle avait choisi, était une sorte de beige.

Quand je rentrais de l'école, je fermais à double tour, et je ne sortais plus. Je circulais dans les pièces. J'allais dans sa chambre. J'arrangeais les objets sur sa commode, je les mettais par ordre de taille, vase, cendrier, revue, miroir de poche, j'étalais ses colliers en rond.

— Oui mais ça convient à un goût d'enfant ça Christine.

Elle remettait les objets de biais et les revues de travers.

— Il est pas dans la boîte maman ton hippocampe, il est où ?

— Il a dû se perdre dans le déménagement.

Je faisais dialoguer mes poupées entre elles. Je dialoguais avec elles. Ou je ramassais les allumettes grillées que je trouvais sur la cuisinière, et je construisais une petite maison en bois en les collant sur du carton.

Parfois, elle me laissait faire du patin à roulettes sur les dalles en gerflex du couloir. Il y avait trois ou quatre mètres pour glisser entre la porte d'entrée et celle du vestibule.

— Maman !! Viens voir !

Elle me regardait m'élancer la paume vers l'avant, l'appliquer sur la porte fermée, reprendre mon élan dans le demi-tour, et repartir dans l'autre sens.

Ensuite on dînait, et j'allais me coucher. Je regardais sous mon lit pour voir si personne n'était caché. Elle me rassurait, retournait dans le salon.

Il y avait une école dans le quartier, mais j'étais restée à Jeanne-de-France. Je prenais le bus pour y aller. L'arrêt se trouvait devant le centre commercial, après un terrain vague. Par peur de me retrouver enfermée dans l'ascenseur avec des garçons, je descendais et montais les sept étages à pied.

Le samedi, après avoir vérifié, en traversant le terrain vague, qu'il y avait de la lumière au septième étage de la tour, je montais les escaliers en courant, et je sonnais.

— Tu as encore oublié tes clés !? Qu'est-ce que tu peux être étourdie ma petite fille ! Tu es étourdie tu sais Christine…

Elle posait une casserole de lait sur le feu, et sortait un gâteau du frigidaire. Puis elle s'asseyait avec moi, à l'angle de la table.

Elle me caressait les cheveux.

— T'as passé une bonne journée ?

Elle regardait un cahier, une copie corrigée, m'écoutait réciter un poème.

— C'est bien ma bichette.

Elle lisait mes rédactions, mes bulletins et mes appréciations avec sa main chaude sur la mienne.

— C'est bien, c'est très bien ma bichette.

Je caressais le dos de sa main. Ou je suivais avec mon doigt le parcours de ses veines. Je la retournais et je caressais la paume.

— Ah la la, ma petite bichette.

Elle me tapotait la main, reculait sa chaise pour s'occuper du lait qui montait sur le feu, puis elle le versait dans mon bol, en tenant la queue en bois d'une petite casserole.

— Je t'assure, tu devrais faire un concours de beauté des mains maman. Tu le gagnerais. J'en suis sûre.

Elle riait.

— Pourquoi tu veux pas ? Pourquoi tu ris ?

Après, soit on sortait, soit elle me regardait déambuler dans les pièces avec du rouge à lèvres, des grandes jupes évasées qui lui appartenaient et des petits talons qui claquaient.

— Tu vois Christine qu'on peut être bien ici. Tu t'amuses bien. On est bien quand on est à l'intérieur. L'environnement on s'en fiche. L'extérieur est pas terrible, bon, mais l'extérieur c'est l'extérieur. On vit pas à l'extérieur.

Pour ne pas dire la zup, quand on lui demandait notre adresse, elle disait Cité Saint-Jean.

Juste avant la zup, il y avait une petite route qui partait vers la campagne. Elle était bordée de maisons individuelles. Chacune avait sa propre allée, dallée de pierres, semée de cailloux, droite ou sinueuse. Chaque porte d'entrée était différente de celle d'à côté par la couleur, la matière, un détail, une grille, une poignée ou un heurtoir. Elle choisissait sa préférée, moi la mienne, on marchait sur cette petite route en se donnant la main, en parlant d'avenir et d'endroits où vivre.

— Elles sont douces tes mains maman.

— Ton papa aussi il me disait ça. Il disait que j'avais un fluide ! Il me donnait la main, il restait comme ça cinq minutes. Et puis il la retirait. Il disait que c'était pour avoir le plaisir de me la redonner. Il était un peu compliqué tu sais... Après il me la reprenait.

Elle le faisait en même temps pour que je comprenne.

— Elles sont chaudes. Et tellement belles !

— Tu es gentille ma bichette.

— Pourquoi tu veux pas faire un concours de beauté des mains ? Tu pourrais au moins te renseigner...

— Je crois pas que ça existe tu sais Christine.

Le samedi, je l'accompagnais dans les magasins. Elle entrait dans une cabine, je l'attendais sur un tabouret à l'extérieur. Elle en sortait, je la regardais puis je regardais le reflet dans la glace. La vendeuse disait :

— Ça vous va bien madame.

On se faisait des sourires dans le miroir.

— Comme vous êtes grande !

C'était systématique, les vendeuses lui disaient ça. De retour dans sa cabine, parfois elle rouvrait le rideau, et dans l'embrasure elle me faisait un clin d'œil.

On entrait dans des magasins de tissus, elle choisissait des matières et des couleurs pour des coussins, des nappes ou des divans. La commerçante froissait un échantillon entre ses mains, puis le lui faisait toucher. Mon avis comptait. Je le touchais aussi.

— Vous avez raison mademoiselle.

Dès qu'on était dans la rue, elle me complimentait. Je ne lui ressemblais pas physiquement, mais en matière de goût je tenais forcément d'elle. Pour le reste, j'avais la passion des langues et des voyages alors qu'elle ne supportait pas les gares.

— Un jour je t'emmènerais à New York maman.

— Et ton mari, qu'est-ce qu'il dira ?

— Il pourra venir avec nous.

— On verra ça dans quelques années…

— Quand j'irai en Amérique, tu viendras avec moi ?

— On n'en est pas là. Hein ? On verra. On en reparlera. Je parle pas anglais, déjà.

— Mais moi je parlerai anglais. Quand je serai en sixième je vais apprendre l'anglais.

— Il faudrait déjà que tu fasses moins de fautes à tes dictées en français, avant de penser à apprendre l'anglais.

— L'autre jour chez tata, avec Marie-Hélène on discutait, on parlait des mots qu'il y a dans le dictionnaire. Je lui disais qu'il y en avait tellement qu'on pouvait pas tous les connaître. Tu te rends compte, maman, tous les mots qu'il y a dans le dictionnaire !

— Ah c'est sûr.

— Et j'ai demandé à Marie-Hélène : « Est-ce que tu crois que les adultes ils les connaissent tous ? » Tu sais ce qu'elle m'a répondu ?

— Non.

— Elle a dit : « Oui mon papa il les connaît tous ! » Tu crois que c'est vrai ? Tu crois que tonton il connaît tous les mots qu'il y a dans le dictionnaire ?

— Non, il ne les connaît pas tous, et j'en connais sûrement plus que lui.

— Maman, je peux te parler de quelque chose ?

— Bien sûr !

— Tu sais parfois j'ai l'impression d'être un petit paquet.

— Un petit paquet ? Comment ça un petit paquet ?

— Ben, un petit paquet ! Un petit paquet que tu emportes avec toi, et que tu tiens par une ficelle.

— Pourquoi tu dis ça ?

— Parce que.

— Mais tu es pas du tout un petit paquet. Voyons. Qu'est-ce qui te fait penser ça ?

— Quand tu rencontres des gens dans la rue, que tu parles avec eux, et puis moi je suis là, j'attends.

À Jeanne-de-France, dans ma classe, je faisais partie d'un groupe de filles riches. Elles avaient des bonnes. Pour leur anniversaire, parfois, des domestiques en gants blancs servaient des orangeades et des boules de glace. Le mien approchait. Je ne voulais pas le fêter pour ne pas les faire venir dans le quartier. Elle m'a convaincue : je pourrai jouer dans son dressing avec mes invitées. On a ri dans la petite pièce noire, puis on a défilé avec ses jupes et ses chaussures. Ça s'est tellement bien passé que quand leurs mères sont venues les chercher, elles voulaient rester.

— Tu vois que ça s'est bien passé. On n'a pas besoin d'habiter dans un parc pour passer une bonne journée quand même.

Elles ont dit ensuite à toute la classe à quel point chez moi on s'amusait.

Elle triait ses vêtements aux changements de saisons. Elle se mettait devant le miroir de sa chambre en combinaison, et faisait des allers et retours entre sa penderie et son miroir, les bras chargés. Elle jetait les vêtements sur son lit. Elle les essayait un par un, les robes, les pulls, les jupes, en se demandant ce qui était démodé, ce qui ne lui allait plus, ce qui était encore bien… Assise sur le fauteuil de sa chambre, la tête appuyée au dossier et les jambes allongées, je donnais mon avis, jeter, donner, garder. Jusqu'à ce qu'elle dise :

— Bon allez. Ça suffit, j'arrête.

— Oh non maman s'il te plaît. Allez, encore un peu.

— Non Christine j'arrête là. J'ai des choses à faire. On va pas y passer la journée tout de même.

— Oh s'il te plaît !

Je me mettais sur ses genoux. Je calais ma tête dans son cou, elle refermait ses bras sur moi. Ou je me collais à elle, debout, les bras autour de ses hanches. Je restais comme ça, en la serrant. J'ajoutais des terminaisons au mot « maman ». Je le faisais durer dans ma bouche. Je jouais avec la prononciation. J'inventais des mots pour la désigner. Elle levait les yeux au ciel, et elle balançait la tête. Je l'embrassais beaucoup. Certains baisers portaient des noms. J'avais baptisé « bibi complet » celui qui commençait par le front, descendait sur les paupières, les joues, le menton et se terminait par un baiser sur les deux oreilles.

Souvent, elle me faisait rire. Je pouvais en perdre le souffle.

Je me mettais à califourchon sur ses genoux, et elle baissait la tête menton sur la poitrine. Une fois bien installées, je tapais sur ses épaules d'un coup sec. Elle redressait la tête comme si j'avais appuyé sur un bouton électrique. Et qu'elle était un pantin, répondant à un automatisme, le cou raide, les yeux fixes, avec une expression comique.

— Encore !

Elle rebaissait la tête. Je retapais sur ses épaules, le coup devait être rapide et sec. On entendait le bruit du choc. Son expression devait être nouvelle à chaque fois, et sa réaction devait être immédiate. Ça s'appelait « la tête ».

— Bon allez ça suffit là Christine.

Je lui racontais tout ce qui m'arrivait. Toutes les idées que j'avais. Toutes les pensées qui me traversaient. Le soir après le dîner, en se massant les mains avec de la crème, assise sur le fauteuil en velours de ma grand-mère, elle me parlait d'elle, ce qu'elle ressentait, ses rêves, les projets qui ne se feraient peut-être jamais, les images qui la hantaient.

— Tu sais, Christine, un jour j'ai fait un rêve. J'y pense souvent à ce rêve. Je suis dans un tunnel, un très très long tunnel, et je marche. Je marche, et j'en vois pas le bout de ce tunnel. Comme s'il avait pas de fin. À un moment, j'aperçois une petite lumière. Tout au fond tout au fond. Très loin. Je marche encore. La lumière s'agrandit. Mais j'en sors toujours pas de ce tunnel. Tellement il est long. Je me dis « mais bon sang je vais jamais en sortir ». Et puis tout à coup : j'en sors. Et juste à ce moment-là, un bébé me tombe dans les bras. Et je sais que c'est toi.

Elle me parlait en faisant autre chose. En balayant, en repassant. Quand elle repassait, elle mettait de la musique. Parfois, tout d'un coup, elle posait le fer. Un morceau lui plaisait, elle avait envie de danser. Elle passait devant moi en souriant, en tournant sur elle-même. Et elle faisait des gestes de mains en l'air exagérés, les yeux brillants. Elle penchait la tête d'un côté, puis de l'autre.

— T'es gaie toi maman.

— Tu trouves ?!

— Oh oui ! Tu danses, tu chantes, tu ris. Oh oui maman. T'es gaie.

J'étais toujours avec elle, ou sur le point de la retrouver. Soit j'étais assise à côté d'elle. Soit je marchais à côté d'elle. Soit je l'attendais. Tout mon argent de poche passait dans les cadeaux que je lui faisais. Je pensais à la fête des mères longtemps à l'avance. La bijouterie Tranchant, avenue de la Gare, était la belle bijouterie de la ville. Une année, j'y ai repéré des boucles d'oreille dorées émaillées de noir. De l'extérieur on ne voyait pas le prix. L'étiquette était retournée. Je suis entrée, la vendeuse a plongé la main dans la vitrine et m'a donné un chiffre. Après, j'ai couru en pleurant jusqu'à la gare routière. J'ai pris mon bus. À la zup, j'ai traversé le terrain vague en courant. J'ai monté les sept étages en larmes, et j'ai sonné à la porte.

— Mais qu'est-ce qui t'arrive Christine ?

Je suffoquais.

— Mais enfin qu'est-ce qui se passe ? Il y a eu quelque chose ? C'est quelque chose qui s'est passé à l'école ?

Je lui ai raconté.

Elle m'a prise dans ses bras. J'ai accroché mes doigts derrière sa nuque, et j'ai posé ma tête sur sa poitrine. Elle caressait mes avant-bras et mes poignets.

— Il est là mon plus beau collier. C'est les deux bras de ma petite fille.

Elle a caressé ma tête, mes cheveux, et de nouveau mes bras noués.

— C'est mon plus beau collier. Un plus beau collier ça n'existe pas.

— Maman...

— Quoi ma biche ?

— Tu sais je... je...

— Quoi ma bichette ?

— Maman. Je. Je voudrais te dire quelque chose maman.

— Oui ma biche.

— Tu sais maman je t'aime plus, beaucoup plus, mais beaucoup beaucoup plus, que les autres petites filles aiment leur maman.

Un matin, tôt, des bruits de pleurs sortaient de ma chambre, elle était encore couchée. Elle s'est levée.

Je sanglotais dans mon lit.

— Qu'est-ce qui se passe Christine ?

Je ne répondais pas.

— Mais qu'est-ce qui se passe enfin voyons ?

Je m'essuyais les yeux avec le drap.

— Mais parle-moi. Mais enfin veux-tu me dire ce qui se passe ? Christine enfin voyons... Dis-moi.

— J'ai fait un mauvais rêve.

— Qu'est-ce que t'as rêvé ma bichette ?

— Ben... j'ai rêvé que... j'étais dans la chambre de la rue de l'Indre... Et...

J'ai avalé ma salive.

— J'étais dans mon petit lit... sous la fenêtre... Et dans le grand lit, il y avait les autres enfants de mon papa... Et...

Je me suis tue de nouveau.

— Essaye de me dire ma bichette.

— Et mon papa... eh ben...

— Dis.

— Il est entré dans la chambre, pour nous dire au revoir, mais ses joues... Les joues de mon papa...

Les sanglots ont redoublé.

— Calme-toi. Calme-toi Christine. Doucement. Raconte-moi doucement.

— Eh ben...

— ... Dis-moi doucement. Calme-toi.

— Ben mon papa il avait... tu vois en fait... Tu vois les brosses à cheveux comme celle qu'a Marie-Hélène ? Avec des gros piquants. Bon, ben lui, il avait une joue toute lisse, et son autre joue...

J'ai mis du temps avant de continuer.

— ... elle était hérissée de piquants. Comme sur les brosses à cheveux.

— Viens t'asseoir là. Viens. Viens sur mes genoux.

— Il est pas fini maman mon rêve...

— Continue ma bichette.

— ... Il va voir ses enfants, il se penche vers eux, pour leur dire au revoir, et il les embrasse avec sa joue lisse...

Mes sanglots ont repris.

— Et puis après... Après il est venu de mon côté. Et à moi maman... À moi il m'a donné un coup de piquants.

J'ai hurlé.

— C'était un cauchemar ma Christine. C'est fini. C'était un vilain rêve. C'est fini maintenant. Viens. Fais-moi un bisou. C'est passé. Hein ? Dis. C'est passé ? C'est pas la réalité ça. Tu le sais, c'est un rêve. Ça n'existe pas. C'est quelque chose qui n'existe pas ça

92

ma bichette. C'était juste un mauvais rêve. C'est fini maintenant. Viens là que je fasse un bisou sur ta petite joue.

Je m'intéressais au nombre de langues que mon grand-père parlait, et aux voyages qu'il avait faits. Elle me répondait avec une certaine indifférence, puis elle ajoutait :

— Il a une très haute opinion de lui-même, tu sais. « Nous les Schwartz ! »… je me souviens il disait ça : « Nous, les Schwartz ! »

Un jour il est venu m'attendre à la sortie de l'école. Il a pris le bus avec moi. Elle a été surprise de le voir quand elle est rentrée le soir. Après le repas, il s'est mis de profil, il m'a dit de bien le regarder. Je devais observer la courbe qui allait de sa nuque au sommet de son crâne et constater qu'elle était galbée.

— Il existe deux types de crânes. Brachycéphale et dolichocéphale. Brachycéphale c'est quand la ligne est droite. Dolichocéphale quand elle est marquée, comme chez moi.

En creusant la main, il a dessiné une ligne arrondie dans l'air, et il s'est remis de profil pour que je vérifie.

— Tu vois ? Chez les femmes ça se voit moins. À cause de la coiffure. Mais ta mère aussi est dolichocéphale. Et toi, fais voir… Oui. Toi aussi.

Elle a dit à Nicole après :

— Il a été chercher Christine à Jeanne-de-France… ben oui il avait pas l'adresse, quand on a déménagé, je lui ai pas dit où on allait. Il m'en a tellement fait voir quand j'ai vendu la maison, soi-disant que j'avais tout empoché. Je peux pourtant pas lui dire que j'ai donné la moitié à Didi !

Ma grand-mère avait emporté son secret dans sa tombe. Et elle estimait que ce n'était pas à elle de le dévoiler.

Elle me parlait des hommes avec qui elle aurait pu se marier. Charlie, le fiancé de ses seize ans, était gentil, attentionné. Il lui faisait toujours des petits cadeaux. Son regard décrochait comme si elle regardait la vie qui aurait été la sienne si elle était restée avec lui. Puis elle me parlait d'un autre.

— Il était très intéressant Jean Dubois. Il faisait plein de trucs. Il voulait faire du journalisme. À son âge il avait déjà beaucoup voyagé. Il était bien physiquement. Il était grand. On avait de l'allure tous les deux, quand on dansait.

Elle l'avait rencontré à un bal de société.

— Il y en avait pas beaucoup des types comme lui à Châteauroux. Et c'était un type très intéressant. Il était pas banal Jean Dubois. Par rapport aux autres, il tranchait.

— Tu connaissais déjà mon papa ?

— Pas encore. C'est bête hein, Jean Dubois je le trouvais trop jeune pour moi, il avait trois ans de moins. C'est pourtant pas grand-chose. Mais à l'époque c'était comme ça. Tu sortais pas avec un garçon qui était plus jeune que toi.

— Et après mon papa, t'as connu un autre monsieur ?

— Je suis restée attachée à ton papa très longtemps. Les femmes étaient moins libres qu'aujourd'hui. C'était pas facile, tu sais. J'avais rencontré quelqu'un à la plage de Belle-île, un an ou deux après ta naissance, mais Mémé m'a fait comprendre que, vis-à-vis des voisins, ça la gênait. « Pense à moi » elle m'avait dit. Quand tu sortais avec un homme, et que tu étais pas mariée, tu sais, dans ces années-là, t'étais une moins-que-rien.

La Sécurité sociale gérait l'assurance maladie, et administrait des établissements hospi-
taliers financés par les cotisations. Un hôpital
psychiatrique venait d'être créé à cinq kilomètres de Châteauroux. À Gireugne. C'était
une institution révolutionnaire, qui rompait
avec les asiles de fous. Un peu partout en
France, on voyait encore des cellules fermées,
des interdictions absolues de sortir, des trai-
tements lourds, des enfermements de longue
durée, des uniformes pour distinguer les soi-
gnants des internés, et même des douches au
jet en plein air pour laver les malades nus et
alignés, dans certains Départements et Ter-
ritoires d'Outre-Mer. Gireugne correspondait
à l'évolution de la psychiatrie moderne qui
remettait en cause la notion de normalité, et
s'intéressait aux psychoses sans isoler ceux
qui en souffraient du reste de l'humanité. Au
cours des dernières décennies, des progrès
avaient été accomplis, qui mettaient la parole
au centre des soins. À Gireugne, il n'y avait pas
de barreaux aux fenêtres, pas de vêtements
distinctifs, les services étaient répartis en

pavillons de plain-pied, et le mot « fou » était proscrit. Les malades déambulaient librement dans l'établissement, dans les allées du parc et aux abords de la forêt. Ils se mélangeaient au personnel dans les couloirs, et à la cafétéria où certains consommaient du jus de raisin dans des verres à vin, ça faisait illusion et ça maintenait dans le sang le taux de sucre auquel étaient habitués ceux qui venaient se faire désintoxiquer. C'était quelques années après la guerre d'Algérie. Aux postes administratifs, beaucoup de rapatriés avaient été embauchés. Ils vivaient sur place avec leur famille, dans des maisons à un étage en brique marron-noir, disséminées dans les bois, et dissimulées les unes aux autres par le feuillage des arbres. Les pavillons étaient proches des habitations, et regroupés autour du bâtiment de l'administration. L'ensemble s'appelait Centre Psychothérapique de Gireugne, et se trouvait à la lisière de la forêt du Poinçonnet.

Le poste de secrétaire de direction était à pourvoir. Elle a posé sa candidature. Sa lettre a été sélectionnée, et après un entretien avec le médecin directeur, elle a été recrutée. Il fallait une voiture pour y aller. Elle a passé son permis. Il fallait absolument qu'elle l'ait. Je penserais à elle le jour de l'épreuve de conduite. À l'heure précise.

Elle rencontrait des psychiatres, des psychanalystes, des psychologues. Elle avait des conversations avec eux. Tout se jouait dans la petite enfance. Elle faisait des lectures, elle apprenait des choses. Elle s'entendait bien avec le médecin directeur. Leurs deux bureaux communiquaient. Son travail l'intéressait. Elle déjeunait sur place, et me racontait sa journée le soir.

— Il y a une malade, Mlle Renaud, qui est vraiment très grosse, tu vois, mais vraiment très très grosse, et, cette Mlle Renaud, elle s'habille toujours tout en rose, mais, pas un rose discret tu vois, un rose vif, un rose bonbon. À midi, elle se promenait dans les bois, tout en rose comme à son habitude. Et, le magasinier, avec qui j'ai déjeuné aujourd'hui, a dit en la voyant se promener par la fenêtre : « Oh, regardez Mlle Renaud, on dirait une petite fraise des bois !! » J'ai ri. Ça m'a fait rire. J'avoue. C'est pas bien hein !? Mais j'avoue. J'ai ri. Et toi, ma biche, t'as passé une bonne journée ?

J'étais descendue à mon arrêt, comme d'habitude, j'avais coupé par le terrain vague, et au moment où je m'apprêtais à traverser la rue :

— ... sur le trottoir d'en face il y avait deux filles de mon âge, qui discutaient tu vois. Et il y en a une qui a demandé à l'autre : « Il est où ton père ? » Et l'autre lui a répondu : « J'en ai pas. »

On était assises en angle à la table de la cuisine. Elle a fini sa bouchée, a posé ses couverts et s'est tournée vers moi.

— Pourtant, cette petite fille a un père. Tout le monde en a un. Tu le sais Christine. On en a déjà parlé. Sa maman ne lui a peut-être pas dit. Mais elle en a un. Tout le monde en a un. Elle ne le connaît peut-être pas, mais elle en a un. Moi aussi j'en ai un. J'ai pas beaucoup vécu avec lui. Mais c'est mon père. J'en ai un. Toi aussi tu en as un. Tata aussi en a un. Tout le monde. Toi aussi. Tu ne le connais pas. Ou plutôt, tu ne t'en souviens pas. Tu l'as vu. Tu ne t'en souviens pas mais tu l'as vu. Tu l'as vu une première fois quand tu avais deux ans, pendant des vacances. La deuxième fois, tu avais trois ans. Tu l'as vu une troisième fois, tu avais six ans. Tu ne l'as jamais vu longtemps, c'est vrai. Et il est venu te voir quand tu étais bébé. T'étais dans ton berceau, tu t'en souviens pas. Cette petite fille aussi a un père. Même si elle ne l'a jamais vu. Tout le monde en a un.

Le chef comptable venait d'Alger. Sa famille habitait une des petites maisons en brique marron-noir et il avait une fille de mon âge. Elle me déposait chez eux le mercredi matin et me reprenait le soir. Un soir, on n'est pas rentrées directement. Elle m'a amenée dans un petit bureau, où une psychologue m'a posé des questions.

La nuit était déjà tombée.

— Tu veux bien me dessiner une famille Christine ?

Quand je suis sortie du bureau, elle y est entrée, je l'ai attendue dans le couloir. Puis on a repris la voiture.

— Bon. Elle dit que tout va bien. Elle t'a demandé de dessiner une famille je crois...

— Oui.

— Elle dit que tout va bien hein. Elle m'a montré ton dessin. À travers les dessins des enfants, on voit des choses. Et toi, c'est très bien. Tu as dessiné le père. Donc ça c'est très bien.

— Ben oui il fallait dessiner une famille !

— Oui et c'est très bien Christine. Tu as bien fait le père. Après tu as fait une petite fille, c'est bien. Et puis t'as fait la mère. Tu as dessiné une famille équilibrée. C'est très bien.

Elle s'est tournée vers moi, elle souriait :

— Le père tu l'as fait tout petit. C'est un tout petit bonhomme, mais il est là. C'est très bien. Il est tout petit dans un coin de ta feuille, mais il existe. Tu as fait une petite fille, qui a à peu près la même taille que le père. Mais c'est bien. Parce que tout le monde est là, tout le monde est à sa place. Et tu as fait une mère. Mais une mère... mais une mère, mais tu as fait une mère alors là... Une mère... Énorme. Qui prend toute la page.

Elle a renversé la tête en arrière. Elle a ri ouvertement.

De gros piliers en béton soutenaient les dix-huit étages de la tour. Ça formait autour du hall un grand péristyle. Avant de pénétrer dans le bâtiment, il fallait passer entre ces colonnes. Des courants d'air y soufflaient. Elle a garé la voiture, on est entrées dans le péristyle, elle marchait à pas pressés, en protégeant son cou avec sa main, la tête baissée, et les épaules rentrées.

— Ah bon sang, ces courants d'air ! C'est quelque chose !!

Nos cheveux partaient vers l'arrière, à cause des trombes d'air, nos jupes se collaient à nos cuisses. On avait du mal à avancer. La seule chose de la zup qu'elle s'autorisait à critiquer était la circulation du vent entre ces piliers.

L'année de mes douze ans, l'école a organisé un voyage à Venise. Au retour elle est venue me chercher à la gare, sous un ciel bas et gris. On a discuté dans la voiture, en passant entre les façades cimentées du boulevard de Bruyas.

— Tu peux pas savoir comme c'était beau maman ! C'est beau Venise ! C'est beau. Tu peux pas savoir. Je sais que ça a coûté cher mais ça valait vraiment la peine. C'était extraordinaire.

— Toute la classe allait pas partir et puis toi rester là !!?? Hein !? Quand même !

— Si j'y retourne tu viendras avec moi ?

— On verra. Je parle pas italien déjà.

— Mais tous les vendeurs parlent français là-bas. Et puis il fait beau. On était en t-shirt. Il y avait un soleil magnifique. Alors qu'ici regarde comme c'est moche.

— C'est sûr que si tu compares avec Châteauroux...

— De toute façon, moi je vais pas rester ici. Je partirai.

— Oh tu sais, tu dis ça, tu le feras peut-être jamais !

— Si, je partirai. Tu verras.

— C'est ça. Je verrai.

L'année suivante, elle a reçu un appel de Mme Borgeais, une amie à elle qui travaillait à la Caisse.

— Vite vite Rachel il faut que je te dise quelque chose. Bon, je t'informe. Vite. Très vite. Je te dis vite. Le père de la petite vient de téléphoner à la Caisse. Et il t'a demandée. On lui a dit que tu travaillais plus là. Que tu étais à Gireugne. Il va t'appeler. Il a dit qu'il t'appelait tout de suite. C'est pour ça, je t'appelle avant.

C'était en plein après-midi. Elles ont raccroché. Quelques minutes après, son poste sonnait.

— Bonjour Rachel, c'est Pierre. Comment vas-tu ?

La voix de mon père était claire et posée.

— Très bien. Et toi ? Comment vas-tu ?

La sienne aussi.

— Je t'appelle parce que j'ai quelque chose à te dire Rachel. Je vais sans doute quitter Strasbourg, et me rapprocher de vous.

Son père venait de prendre sa retraite. Michelin lui offrait le poste de directeur.

— Nous pourrions nous voir plus facilement, Paris-Châteauroux ce n'est pas très loin.

— Oui. Ce serait bien.

— Mais toi Rachel comment vas-tu ? Je... Enfin tu... Enfin, comment vas-tu ?

— Très bien. Je vais très bien.

— Ce n'est pas trop dur l'hôpital ?

— Au contraire, ça se passe très bien.

— Ça fait combien de temps, que tu es dans cet hôpital, je ne savais pas...

— Je ne suis pas internée Pierre. J'y travaille. Je suis la responsable du personnel, et la secrétaire du médecin directeur.

— Ah très bien. Pardon. Je n'avais pas compris.

C'était la première fois qu'elle réentendait sa voix depuis le matin où elle lui avait dit « maintenant tu t'en vas » et qu'il avait disparu dans le chemin.

Cinq ans avaient passé. Lui qui traversait la cour, moi qui lui disais au revoir en l'appelant papa, qui le regardais partir du haut de l'escalier, comme un enfant qui assiste à une scène, elle, qui après avoir fermé la porte, se mettait à sangloter. Depuis, sa colère était retombée.

Elle avait presque cessé de penser à lui. Elle avait évolué dans son travail. Elle avait repris confiance en elle. Mais sur le plan affectif, elle n'avait fait que des rencontres sans ambiguïté, avec des gens mariés, ou qui ne lui plaisaient pas.

— Il y a que des petits bonshommes ici. J'aimerais quand même bien rencontrer quelqu'un qui dépasse le mètre soixante-quinze.

Elle achetait un magazine, *Le Chasseur français*, spécialisé dans la chasse, la pêche et le bricolage, qui publiait des annonces matrimoniales.

— Je suis très heureuse comme maman. Mais je ne suis pas qu'une maman. J'ai aussi une vie de femme. Il faut que je vive ma vie de femme. J'ai beaucoup de chance de t'avoir, mais tu es une petite fille, tu vois ? Tu es ma petite fille. C'est pas pareil. J'aimerais bien rencontrer un monsieur de mon âge. Tu comprends ?

— Pourquoi c'est pas pareil ? Parce que je suis une enfant ?

— C'est pas le même amour. C'est difficile à expliquer. J'ai besoin d'avoir une vie de femme. Une femme a besoin d'être aimée par un homme.

— Tu trouves que tu as pas une vie de femme ?

— Si, bien sûr, j'ai une vie de femme. Mais pas complètement. Dans ma vie je suis seule comme adulte. Pour vivre ma vie. Prendre des décisions. Partir en vacances, partager des choses avec quelqu'un de mon âge. Tu vois bien qu'à part Nicole les gens qu'on connaît vivent tous en couple. Les grandes personnes ont besoin d'autres grandes personnes, pour parler. Tu comprends ?

— Mais nous on parle, nous.

— C'est vrai Christine. Et tu es le grand bonheur de ma vie. Je ne sais pas comment je ferais si t'étais pas là…

— Je t'aime maman.

— Moi aussi ma biche. Beaucoup beaucoup. Mais c'est pas le même amour. Tu comprends ?

— C'est quoi le plus fort ?

— Il n'y a pas de plus fort. Ils ne sont pas de la même sorte. Ils sont aussi forts l'un que l'autre. Mais ils sont différents. Ils ne se ressemblent pas. Tu comprends ?

— Non. Pas très bien. Je vois pas ce que c'est la différence.

— Voyons. Comment t'expliquer ? L'amour pour son enfant, c'est un amour très très grand. Immense. Sûrement le plus grand, si vraiment on devait dire quel est le plus grand. Mais il n'est pas de la même nature.

— C'est quoi les différences ?

— Tu te souviens du poème de Victor Hugo ? « Oh l'amour d'une mère, amour que nul n'oublie... Chacun en a sa part et tous l'ont tout entier... » ? Bon. Ça, c'est l'amour entre une mère et son enfant. Il ne meurt jamais. Il ne se finit jamais. C'est un amour éternel. L'amour entre un homme et une femme c'est autre chose. Il peut ne pas être éternel. Mais il est très fort aussi.

— Pourquoi tu t'es pas mariée avec mon papa ?

— Parce qu'il ne le souhaitait pas je suppose. Il était pas stable sur le plan de son avenir professionnel. Et il voulait rester libre. Il y a plusieurs raisons qui se sont conjuguées...

— Pourquoi vous avez voulu un enfant ?

— Parce que c'était un grand amour Christine.

— Pourquoi vous vous êtes pas mariés alors ?

— Il avait des idées précises sur le genre de femme qu'il voulait, je pense que je correspondais pas à ce qu'il recherchait. Il voulait une femme plus docile je pense. Et puis... c'est difficile tu sais. Il n'y avait sans doute pas que ça.

— Il y avait quoi d'autre ?

— Eh bien notamment sur le plan social.

— C'est-à-dire ?

— Ma famille, mes origines, mon milieu, mémé, tout ça... pour lui c'était pas... C'était pas ce qu'il recherchait.

— Il aimait pas Mémé ?

— Il la connaissait très peu. C'est pas qu'il aimait pas Mémé. Mais il n'y avait pas de richesse autour de moi. Tu comprends ? Lui il venait d'un certain milieu. Il voulait quelqu'un qu'il puisse présenter à sa famille, qui le valorise sur ce plan-là. Tu sais, quand j'ai été enceinte, je lui ai écrit. Et sa mère est tombée sur la lettre. Et elle lui a dit : « Méfie-toi. Elle veut mettre la main sur un fils de famille. » Tout ce que je voulais, d'après elle, c'était ça. Tu vois, c'était des gens comme ça.

— Oui… Mais il y a quelque chose que je comprends pas. Il a quand même voulu un enfant avec toi ! ?

— On t'a voulue tous les deux Christine. Parce qu'on s'aimait. Lui aussi. Crois-moi. On s'est beaucoup aimés ton papa et moi. Beaucoup beaucoup. Il m'a dit qu'il ne s'en occuperait pas, mais qu'il voulait qu'on ait un enfant ensemble.

— Et toi tu as accepté, tu as voulu quand même !? Même s'il t'a dit qu'il s'occuperait pas de moi ?

— Oui. Parce que…

Sa voix s'est nouée.

— … j'ai jamais autant aimé quelqu'un que j'ai aimé ton papa.

Son regard est parti dans le vague un instant.

— Et puis je me disais que peut-être il changerait d'avis… Heureusement que je me suis dit ça d'ailleurs. Sinon tu serais peut-être pas là. Hein ma bichette ? Ce serait bien dommage ! Hein ? Ma Christine. Tu crois pas ?

— Lui aussi il t'aimait beaucoup maman ?

— Oui. Beaucoup.

Comme chaque année en juin, aux premiers rayons de soleil, on est allés à Bellebouche. Les adultes ont choisi un endroit proche de l'eau et étalé une couverture. Puis les enfants ont été autorisés à se baigner. Pendant que je mettais mon maillot, la plus jeune de mes cousines m'a montrée du doigt :

— Hhhan !!!!!! Christine elle a du poil aux fesses !!!!

Ma mère m'avait expliqué que j'allais entrer dans l'adolescence. Ce serait une transformation. Et la preuve que je grandissais. J'allais avoir ce qu'on appelait des règles. Chaque mois j'aurais un petit écoulement de sang.

Finalement, mon père n'a pas pris le poste chez Michelin. Le salaire qu'on lui offrait n'était pas comparable à celui qu'il avait au Conseil de l'Europe. Il n'y a pas eu de rapprochement géographique. Mais le coup de fil pour le lui annoncer avait modifié les choses. Une nouvelle phase a commencé.

Le rythme épistolaire a repris. Il l'appelait de temps en temps, à Gireugne. On n'avait pas le téléphone. Et il préférait de toute façon appeler du Conseil, aux heures de bureau, plutôt que de chez lui. Ils se racontaient leur situation actuelle. À Strasbourg, il vivait près du parc de l'Orangerie, avec sa femme et leur petit garçon, François, prénom sur lequel, si je n'avais pas été une fille, avant ma naissance, ils s'étaient mis d'accord.

Rachel et Christine Schwartz, Bloc 9,
App. 262 rue Michelet, Châteauroux

« Ma chère, chère Rachel,

Des ennuis de toutes sortes sont venus
entamer mon optimisme de l'année dernière.
Le plus grave a été la mise en demeure de
quitter l'appartement, la propriétaire voulant
le vendre. L'issue de cette affaire est encore
en suspens. Tu imagines la tension qu'on
éprouve quand on cherche un nouveau logement dans la précipitation tout en espérant
ne pas déménager. J'ai donc pu te paraître
bien distant.

Pourtant, j'ai beaucoup pensé à vous deux. Je
t'ai d'ailleurs téléphoné à la mi-mars, mais sans
t'atteindre. Selon la réponse qu'on m'a faite à
ton bureau, Christine, malade, te retenait chez
toi. Sa gentille lettre, m'annonçant par la suite
ses ennuis de santé du trimestre, ne m'a donc
pas surpris. Au contraire, elle m'a rassuré
puisque je sais maintenant qu'elle va bien.

Tendresses à vous deux. Je te baise les
mains.

Pierre »

Il y avait une deuxième lettre dans l'enveloppe.

« Ma chère petite Christine,

Quelle jolie carte tu m'as envoyée ! Et puis,
tu fais bien de regretter le temps perdu au
deuxième trimestre à cause de ta maladie.
Mais ce n'est pas si grave puisque tu te rends
compte toute seule que c'est ennuyeux de
perdre des mois de travail. Je suis sûr que
tu rattraperas ton retard et que tu reviendras
en tête de la classe.

C'est ce que je te souhaite ainsi qu'une santé bien solide maintenant.

Je t'embrasse en te remerciant encore de tout mon cœur pour ta gentille lettre.

Papa »

Peu de temps après, la fréquence des coups de fil a baissé. De nouveau les lettres se sont espacées. Il était préoccupé. Son père souffrait d'un Alzheimer. Cet homme qu'il avait tant admiré lisait le même numéro du *Monde* toute la journée, il ne le reconnaissait plus, il était devenu incontinent, il tenait des propos incohérents, les infirmières le traitaient comme un enfant. Mon père ne supportait pas ce déclin.

Puis elle a reçu une lettre qui l'informait du décès.

Il l'a appelée quelques semaines plus tard. En lui proposant de le rejoindre à Paris.

À son retour, elle m'a tendu un paquet.

— Tiens Christine. C'est de la part de ton papa.

Il n'y avait pas de papier cadeau.

C'était mou au toucher.

— Ouvre.

Le sac contenait une poche en plastique colorée, c'était un globe terrestre qu'il fallait gonfler. Et il y avait un demi-cercle en plastique rigide sur lequel les méridiens étaient gradués. On y accrochait les valves du ballon. On pouvait le faire tourner. L'ensemble était instable et léger.

— Bon, je dois te montrer quelque chose. Je lui ai promis. Il a beaucoup insisté. Il m'a dit : « Montre-lui bien le Brésil. » Alors je vais te montrer...

On a fait tourner le ballon, elle a posé son doigt sur un grand espace mauve.

— Voilà. C'est là.

— Pourquoi le Brésil ?

— Parce que c'est grand je suppose. Il m'a dit « tu lui montreras le Brésil, c'est un grand pays ». C'est tout ce qu'il a dit.

— Et tu lui as pas demandé pourquoi ? La Russie c'est encore plus grand !?

— Écoute, moi je te dis ce qu'il m'a dit, il m'a rien dit d'autre. T'as qu'à lui écrire, si tu veux savoir exactement, moi je sais pas. Il m'a dit : « tu lui montreras bien le Brésil c'est un grand pays », il a beaucoup insisté.

« Chère petite Christine,

Il m'a été impossible de te répondre plus tôt parce que je n'étais pas là pendant les fêtes de fin d'année. Ta lettre est très gentille. Maintenant je peux t'imaginer penchée sur tes livres et tes cahiers ou écoutant ta maîtresse en classe. Tes résultats à l'école sont magnifiques et je trouve encore plus formidable que tu t'intéresses à tant de choses.

Apprendre est une des plus grandes joies de la vie, et je suis émerveillé que tu l'aies si bien compris.

Si tu en as envie, je voudrais bien recevoir une autre lettre de toi où tu me raconterais ce que tu fais en classe ou à quoi tu aimes jouer. Moi aussi je te raconterai ce que j'aime. Comme ça nous nous connaîtrons quand nous pourrons nous voir....

Pourquoi le Brésil ? Peut-être parce que c'est un pays dont toute la richesse est dans l'avenir, comme toi à qui le globe était destiné.

Embrasse bien fort ta maman pour moi et reçois un grand baiser.

Ton papa »

Châteauroux était une ville plus grande qu'elle ne l'est devenue ensuite. Il y avait encore des usines, et quelques jolis magasins dans les rues du centre. Mais on en faisait vite le tour. Elle y étouffait. Entre Nicole et elle c'était un sujet qui revenait. Pouvaient-elles rencontrer ici des hommes qui leur plaisent ? Où ? Au cinéma ? Leur voisin de fauteuil ? Qui ? Y avait-il des solutions à leur insatisfaction si elles y restaient ? Nicole avait essayé de partir. Un poste s'était libéré à la Caisse primaire d'une petite ville des environs d'Annecy, une région qu'elle aimait, elle avait posé sa candidature. Elle s'y était sentie seule, elle était rentrée. Elle considérait ce retour comme un échec. Elle avait le sentiment d'avoir laissé passer sa chance.

— Bon, Christine, il faut que je te parle. Viens là. Assieds-toi. Bon. Voilà. On a une possibilité de quitter Châteauroux. Il y a un poste à la Sécurité sociale de Reims, qui est paru dans les avis de mutation. Et j'ai posé ma candidature. Bon, c'est à la Caisse primaire. C'est moins intéressant que ce que je fais à Gireugne. Et si je suis prise, au début, j'aurai une baisse de salaire. Mais ça nous permettrait de quitter Châteauroux. Ensuite on verrait comment ça peut évoluer. De toute façon, ça va pas se faire tout de suite. Il y a toute une procédure, assez longue. Je ne saurai pas si mon dossier a été sélectionné avant la fin de l'été. Des gens de toute la France vont se présenter. Il y aura un concours. Si je suis prise, on verra bien. Je peux toujours refuser. Et si on part, j'aurai six mois pour retrouver mon poste à Châteauroux si ça va pas. Comme avait fait Nicole. Reims, c'est l'Est. C'est la Champagne, la région du champagne.

— C'est-à-dire l'Est, c'est à côté de l'Allemagne ?

— Non c'est plus près de Paris. C'est une ville universitaire. Pour toi plus tard ce serait bien. Physiquement, c'est les gens de l'Est. C'est pas du tout comme ici, c'est pas le même style. Ils sont plus grands déjà. Ils sont un peu réservés, mais sincères il paraît. C'est pas superficiel. C'est pas comme dans le Midi par exemple tu vois. Qu'est-ce que t'en penserais ?

— C'est plus grand que Châteauroux ?

— Beaucoup plus. C'est une ville beaucoup plus riche. Il y a des cinémas. Il y a des théâtres. Il y a une Maison de la culture. C'est pas comme ici l'avenue de la Gare et la rue Victor-Hugo. Et c'est une très belle ville. Il n'y a pas de forêt, mais il y a des vignes. Il paraît que c'est très beau comme paysage. Il y a une très belle cathédrale. Et si tu fais la connaissance de ton papa un jour, c'est plus près de Strasbourg. Beaucoup plus.

— C'est à combien de kilomètres ?

— Oh... quatre cents, je dirais... D'ailleurs à ce propos il faut qu'on ait une conversation. Ça pourrait être une occasion pour toi, sur le plan légal. D'un point de vue juridique. Il y a une nouvelle loi sur la filiation qui vient de passer. La procédure de reconnaissance des enfants naturels a été simplifiée. Il faut que je voie avec lui, mais si ton papa est d'accord, il suffirait qu'il aille chez un notaire pour faire modifier la succession, et après à la mairie de Châteauroux. C'est tout. Et tu porterais le nom de ton père. Comme tous les enfants. Il y aurait plus marqué « de père inconnu » sur le livret de famille. Il faut que tu sois d'accord toi aussi, bien sûr. Tu porterais un nouveau nom. C'est un grand changement.

— Je m'appellerais plus Christine Schwartz ?

— Non. Tu t'appellerais comme ton papa.

— Christine Angot ?

— Oui. Donc c'est toi qui es concernée en premier. Qu'est-ce que tu en penserais ? Tu aimerais connaître ton papa ? Et porter son nom ? Si on va à Reims, ça peut se faire discrètement. Le poste est à pourvoir en janvier. Si ça se fait avant la fin de l'année, on pourrait t'inscrire à l'école sous ton nouveau nom. Hein ? Tu voudrais ?

— Oui.

— Comme ça tu porterais le nom de ton papa, tu serais reconnue comme sa fille sur le plan juridique. Au même titre que ses enfants légitimes. Il n'y aurait pas de différence. Si on va à Reims, on n'aurait pas besoin de raconter notre vie à tout le monde. Personne ne te posera de question, comme tu changerais d'école... Qu'est-ce que t'en penses ?

— Oui.

— Tu aimerais connaître ton papa ?

— Oui.

— Et ça te plairait de changer de nom ?

— Ça serait marrant, je serai dans les A. À l'école, quand on fera l'appel, je serai la première. Alors que là c'est Marie-Osmonde Balsan et moi je suis la dernière. Ça serait marrant. Et c'est plus facile à épeler. Mes copines croient qu'il est mort. Là je pourrais en parler.

— On pourrait aller à Strasbourg cet été. On passerait par Reims. Tu ferais ta rentrée en quatrième à Châteauroux. Et, si j'ai le poste, on partirait après Noël. Ça te ferait changer d'école en cours d'année, c'est pas idéal, mais... bon... Ça peut pas être parfait sur tous les plans.

Pendant les vacances d'été, on irait dans l'Est. On visiterait. On s'arrêterait à Reims. On ferait une étape à Toul, une de ses amies venait de s'y installer, par amour pour un Lorrain qui tenait un bar. Puis on irait à Strasbourg. Je ferais la connaissance de mon père. Ensuite on passerait une semaine de vacances à Gérardmer. Il nous y rejoindrait peut-être.

Ses amis de Toul nous ont laissé leur appartement. Eux dormaient au-dessus de leur commerce. Le quartier était excentré, mais l'appartement rutilant. Un matin :

— Regarde maman, ma culotte, elle est toute sale.

Je lui en montrais le fond.

— Non Christine... C'est pas sale, c'est pas de la saleté ça.

— Mais si regarde, c'est tout noir.

— C'est pas ce que tu crois. C'est pas sale. Non.

— Quoi non ?

— Ce n'est pas du caca.

— Qu'est-ce que c'est alors ?

— Ben c'est...

— Ah non !!

— Si ma biche.

— Je veux pas que ce soit ça. Il en est pas question.

— Si. C'est ça.

— Non. Non non. Non.

— Si ma bichette c'est ça.

J'ai éclaté en sanglots.

— Mais enfin, ça veut dire que tu es grande. Il y a aucune raison de pleurer.

— Tu es sûre que c'est ça ? C'est peut-être autre chose...

— Non Christine c'est ça. Tu as treize ans, c'est tout à fait normal. On va aller acheter des tampons à la pharmacie, c'est très facile à mettre, tu te rendras même pas compte que tu as quelque chose. Tu y penseras plus.

Je ne suis pas arrivée à introduire le tampon moi-même. Je l'ai appelée, je me suis allongée sur le dos, les jambes en l'air, bien écartées pour qu'elle ait la visibilité nécessaire.

Mon père a téléphoné. Il nous avait réservé deux chambres à Strasbourg, elle a noté l'adresse de l'hôtel. Ils se sont entendus sur un jour et un horaire. Puis, elle m'a tendu l'appareil.

J'entendais sa voix pour la première fois. Des larmes me sont venues. Je n'ai pas pu parler. Je lui ai repassé le téléphone. Ils se sont dit quelques mots, et elle a raccroché.

La rencontre a eu lieu dans l'une des deux chambres réservées. Le papier peint était jaune, et la pièce ensoleillée.

On a frappé.

— Oui. Entrez...

Je me suis jetée dans ses bras, collée contre lui, j'ai pleuré quelques minutes comme ça, blottie. Puis on est sortis.

Sa voiture était garée devant l'hôtel, c'était une DS bleu clair. Il lui a tenu la porte le temps qu'elle s'installe, m'a ouvert à l'arrière, il a fait le tour de la voiture, et il s'est mis au volant. Il nous conduisait au buffet de la gare, qui avait des spécialités alsaciennes. Quand on est arrivés, il nous a indiqué la banquette.

Il faisait très chaud. Il nous a expliqué le climat. Les vents se déplaçaient depuis l'Atlantique. Ils étaient bloqués par les Vosges. Ils ne soufflaient pas sur la plaine d'Alsace. Strasbourg avait un climat continental. Il faisait chaud en été froid en hiver. Plus on allait vers l'Europe de l'Est, plus l'écart se creusait. On nous a donné la carte. Il nous a expliqué, en levant les yeux de la sienne, ce qu'étaient le waterzoï, les spätzle, les différentes sortes de choucroutes. Puis il a fait signe à un serveur. Ma mère a commandé son plat avec une fausse assurance. Sa voix passait du fort à l'inaudible. Et sur tout ce qu'elle disait un point d'interrogation semblait planer.

Mon père devait retourner au Conseil. À la fin du repas il a fumé un cigarillo, et nous a raccompagnées à l'hôtel.

— Alors, ça s'est bien passé ! Tu es contente ?

— Il est formidable maman. Je pensais pas que j'avais un papa aussi extraordinaire.

— Tu vois que je suis pas allée te chercher n'importe qui !

— Ah non alors ! C'est la première fois de ma vie que je parle avec quelqu'un d'aussi intelligent ! Et aussi intéressant. Si j'avais vécu avec lui, tu te rends compte tout ce que j'aurais appris. Et tout ce que je saurais aujourd'hui... Mais il y a quelque chose qui m'embête, j'arrive pas à l'appeler papa. Tu crois que je peux l'appeler Pierre ?

— Sans doute. Tu lui demanderas.

— Tu as entendu, quand je lui ai demandé de me parler en allemand ? T'as entendu son accent ? Et en anglais ? Tu as vu comme c'est beau ! Tu te rends compte qu'en Allemagne on le prend pour un Allemand. Et que c'est comme ça dans plusieurs pays !? C'est génial. C'est génial d'être aussi intelligent. Et aussi cultivé. J'aimerais bien tenir de lui.

— Tu sais, moi je parle peut-être pas de langue étrangère, mais je suis pas bête non plus.

— Je sais, mais lui il est d'une intelligence hors norme.

— Je t'en prie dis donc ! Tu crois qu'il se serait intéressé à moi si j'avais été bête ?

— On a les mêmes mains, tu m'avais jamais dit. T'avais remarqué ou t'avais pas fait attention ?

— Oui, peut-être.

J'ai mis mes mains à la hauteur de ses yeux.

— Regarde mon pouce. La forme de mon pouce c'est la même que la sienne. Exactement. Regarde. Regarde mes doigts. Tu as vu ? T'avais jamais remarqué ? Tu trouves pas que je lui ressemble ? On a les mêmes cheveux. Ça fait bizarre. Et on a exactement les mêmes goûts. Alors qu'on n'a jamais vécu ensemble. C'est drôle. C'est incroyable.

Le soir, il nous a emmenées dans un restaurant qui se trouvait au premier étage d'une maison à colombages.

— C'est le meilleur italien de Strasbourg. Tu peux prendre une pizza si tu aimes ça, elles sont réputées. Tu peux aussi prendre un osso-buco, ou des spaghetti à l'arrabbiata. Tu aimes la cuisine italienne ? Qu'est-ce que tu aimes ?

Il a prononcé arrabbiata deux fois, une fois à la française, une fois à l'italienne, en faisant rouler les R au fond de sa gorge. Il a pris un osso-buco, et elle des escalopes de veau. On a parlé du plaisir que représentait le fait de sortir au restaurant.

— C'est agréable, mais ça reste cher. Il y a des gens qui ne peuvent pas se le permettre. Et quand tu vas dans une gargote, c'est pas du tout pareil...— Eh bien moi Rachel, je ne suis pas de ton avis !

— C'est-à-dire ?

119

— Les jugements sont relatifs. Celui qui fréquente les bons restaurants trouve son plaisir dans un endroit d'un niveau plus élevé que celui auquel il est habitué. D'accord ?

— Oui.

— Celui qui n'est jamais allé dans un restaurant gastronomique... ne fera pas la comparaison avec un restaurant gastronomique. Par la force des choses. Mais avec un restaurant qu'il connaît. Et s'il est dans un meilleur endroit, il passera une excellente soirée. Certainement même, c'est ça qui est, bon... certainement même une meilleure soirée que celui qui dîne dans un restaurant d'un niveau bien supérieur, mais de son point de vue ordinaire, conforme à ses habitudes. Alors que l'autre sera très heureux dans ce que toi tu appelles une gargote.

— Ah tu crois ?

— Mais oui Rachel. Et c'est très bien ainsi au fond, non ?

— Mmm...

— Dans certains restaurants, un peu chics, et peut-être un peu trop guindés d'ailleurs, beaucoup de gens ne se sentent pas à l'aise, tu sais.

— Oui. Peut-être.

— Alors que d'autres se sentent comme chez eux. Et sont parfaitement décontractés.

— Peut-être. Je ne sais pas. Je ne me rends pas bien compte. Peut-être as-tu raison.

— Et toi Christine, donne-nous ton avis.

— En tout cas ici c'est délicieux. Elle est très bonne la pizza. J'ai jamais mangé une aussi bonne pizza.

Il a ri.

On est remontés dans la DS. Il s'est garé, il est entré avec nous dans le hall. Puis dans l'ascenseur. Ils m'ont dit au revoir devant la porte de ma chambre. Ils ont continué plus loin dans le couloir. Ils ont fait l'amour. Il ne voulait pas rentrer chez lui trop tard. Il est reparti vers minuit.

On est allées à Gérardmer.

Il nous a rejointes à la fin de la semaine. Il est arrivé le matin. On a déjeuné. On s'est promenés tous les trois au bord du lac. Il a repris la route à la nuit tombée.

Elle était heureuse de l'avoir vu. Triste de le voir partir. C'était tout le temps une arrivée un départ. Rien n'était stable. On était derrière la voiture qui démarrait, et elle pleurait en silence. J'ai tendu la main vers elle. Et j'ai serré son poignet.

Juste avant de partir, il était venu me voir dans ma chambre. Le lendemain, quand il a téléphoné, il a demandé à la réception qu'on la lui passe directement.

On est rentrées à Châteauroux à la fin de l'été. Quelques jours après, la réponse de Reims est arrivée. Son dossier était retenu. Le concours aurait lieu dans le courant de l'automne.

Début octobre, elle a reçu une carte de Londres. C'était une vue aérienne, on voyait le Parlement, Big Ben et l'abbaye de Westminster.

« En mission à Londres pour quelques jours, je constate que le climat y est magnifique. En

tout cas en cette fin septembre. Portez-vous
bien !

Pierre »

Une plus longue lettre est arrivée quinze
jours plus tard.

« Chère Rachel,

Tu m'as proposé d'entretenir une correspondance. Cette proposition m'a fait plaisir.
Malheureusement, tu le vois, j'ai peu de temps
pour écrire. Cela ne veut pas dire que je ne
pense pas à toi, à vous deux, tu le sais. Je
voudrais tellement que vous soyez heureuses.
Raconte-moi ce que tu fais ou ce que tu
comptes faire, tes sorties du dimanche, tout.
Il ne faut pas attendre mes lettres pour écrire.
Tu es tellement réservée que je suis obligé d'in-
sister. Écris-moi ! Pas comme si tu m'expli-
quais gravement les choses, raide sur un banc.
Mais comme si tu abandonnais ta main dans
la mienne. Tu sais que je t'écoute beaucoup
mieux comme ça. D'ailleurs, ta dernière lettre,
c'était un peu ta main tendue. Je la prends. Je
la garde entre mes mains et je t'écoute.

Il m'arrive souvent de triturer le calendrier
dans tous les sens pour voir si je pourrais
me rendre libre, et vous faire une visite.
C'est bien difficile. Et puis il faut préparer
le terrain. Je voudrais savoir si tu aimerais,
si vous aimeriez, recevoir ma visite. J'ose à
peine poser cette question parce qu'elle a un
peu l'air déjà d'un engagement. Mais il faut
bien que je sache où vous en êtes. N'oublie
pas qu'il y a longtemps que je n'ai pas reçu
de lettre de toi ou de Christine. Et que, dans

ces cas-là, on a toujours tendance à faire des hypothèses alarmantes.

Mes doigts entre tes doigts,
Pierre »

Tout s'est concentré sur le mois de novembre. L'écrit a eu lieu au début du mois, et ensuite tout est allé très vite.

La semaine suivante, elle était convoquée pour l'oral. Elle courait dans la rue, son train partait à neuf heures, elle était en retard. Elle est arrivée à la gare essoufflée. Le train était à quai. Elle a couru dans le souterrain, dans l'escalier et sur les derniers mètres. Mais les portes du wagon se sont fermées devant elle. Tous ses espoirs venaient de s'effondrer. Elle a repris le souterrain en sens inverse. Dans le hall il y avait Jean Dubois, le prétendant de ses vingt ans. Il avait raté son train lui aussi. Il faisait les cent pas. Ils ne s'étaient pas vus depuis des années.

— Si vous voulez Rachel, je suis en voiture, on peut essayer de le rattraper à Vierzon.

Arrivés à Vierzon, ils ont décidé de continuer.

— Est-ce que vous vous souvenez Rachel où on s'est rencontrés ?

— Bien sûr. À un bal de société à l'hôtel du Faisan !

— Oui, c'était un samedi. Vous étiez avec des amis. Le lundi suivant, nous nous sommes croisés en ville vous vous en souvenez ?

— Bien sûr Jean, je m'en souviens très bien, c'était vers midi, je rentrais chez moi pour déjeuner. Je m'apprêtais à prendre la grande échelle, et qui je vois dans la rue tout à coup qui me dit « bonjour Rachel » ?

— Je peux bien vous le dire maintenant, je m'étais renseigné pour savoir où vous habitiez, et je m'étais arrangé pour être sur votre trajet à l'heure du déjeuner. Quand vous m'avez vu, je vous attendais. Ça faisait une demi-heure, que j'arpentais le quartier.

Ils se sont quittés porte d'Orléans. Ils étaient pressés, ils n'ont pas échangé leurs adresses. Elle a pris le métro, et elle a rejoint la gare de l'Est.

Le directeur de la Caisse de Reims avait un petit accent du Sud-Ouest, et les cheveux très noirs, coiffés vers l'arrière.

— Vous serez tenue au courant très vite madame Schwartz. Et, si vous êtes prise, un appartement vous sera réservé au 1er janvier, par l'intermédiaire du COPLORR.

C'était un organisme auquel la CPAM cotisait par le un pour cent patronal, qui pouvait leur attribuer un appartement en urgence pour loger un de leurs cadres.

Le lendemain elle a reçu un appel à Gireugne. Elle était reçue première.

Les choses se sont accélérées. Elle a donné son congé à la zup. Et elle a écrit à mon père, en s'excusant du temps écoulé depuis sa dernière lettre. Elle avait été occupée par sa candidature. Elle était prise. On allait déménager. Acceptait-il de me reconnaître avant la fin de l'année, pour qu'elle puisse m'inscrire sous mon nouveau nom dans ma nouvelle école ?

Il a accepté.

L'acte de succession a été modifié par son notaire de Strasbourg. Qui lui a conseillé de bien réfléchir. La modification ne serait de toute façon effective qu'après celle de mon état civil. Celle-ci devait se faire à la mairie de Châteauroux. Il devait s'y présenter en personne. Une visite était programmée fin novembre.

Il est arrivé à la zup un soir ayant conduit tout l'après-midi. Il avait la migraine. Il était très fatigué. Il était sujet aux maux de tête. C'était la première fois qu'il remettait les pieds dans la ville depuis le matin où elle l'avait chassé de la rue de l'Indre.

Elle lui a fait visiter l'appartement. Quand j'ai été couchée, ils se sont assis dans le salon.

— Je ne vais pas reconnaître Christine, je suis désolé Rachel. Je suis très content de vous voir, et on se verra chaque fois que ce sera possible. Mais je ne vais pas la reconnaître, c'est une mauvaise idée, je t'assure. J'ai bien réfléchi.

— Quoi ? Mais tu es venu pour ça !? Tu es en train de me dire que tu as changé d'avis !?

— Ça fait treize ans que la situation est comme elle est. Contrairement à toi, tous ne considèrent pas cette loi comme une avancée. Ce type de progrès peut même faire beaucoup de mal. Certains disent...

— Qui ?

— Tu n'es pas seule au monde Rachel, ce changement t'arrange peut-être toi, mais à l'intérieur de ma famille ce serait une source de difficultés. Les choses ne sont pas aussi faciles que tu l'imagines.

Il a jeté un regard sur l'appartement.

— Vous n'avez pas besoin de moi.

— Mais enfin... Mais qu'est-ce que... ?

— Christine n'a pas de lien avec le reste de ma famille. Je ne vais pas l'imposer à mes beaux-parents. Il n'y a aucune raison. Ce sont des gens très gentils. Je n'ai pas à leur faire subir une situation qui ne les concerne pas, que du reste ils ignorent.

— Mais Pierre, mais enfin, mais tu étais d'accord !

— J'ai réfléchi. Ça ne t'arrive jamais ?

— Si, justement. Tu trouves ça juste toi que Christine entre dans la vie avec « née de père inconnu » comme état civil. Toute sa vie il faudra qu'elle porte ça. Alors que tu as la possibilité de la reconnaître. Que tu es là, que tu es venu pour ça. Parce que tu es son père. Pourquoi est-ce que tu recules ?

— Je suis méfiant.

— Tu te méfies de quoi ? De qui ?

— Tu as toujours voulu entrer dans ma famille non ?

— Pardon ?

— Ce n'est pas ce que j'ai voulu dire...

— C'est de Christine là dont il est question. C'est elle qui a besoin d'être acceptée par son père comme sa fille. Moi, ça fait longtemps que j'ai compris.

Ils ont discuté une bonne partie de la nuit. Le lendemain ils sont allés à la mairie de Châteauroux, et la mention « née de

126

père inconnu » a disparu de mon acte de naissance.

Le 31 décembre on a dîné chez les parents de mon oncle. La conversation a porté sur la future installation, le temps d'adaptation, le découragement auquel il ne faudrait pas céder. Mon oncle, ma tante et mes cousines étaient là. À l'instant de se séparer, on a pleuré, les adieux se sont prolongés dans le couloir, puis sur le trottoir.

On a dormi dans une chambre à l'étage et on est parties le lendemain matin. La mère de mon oncle pleurait devant la porte de sa maison. On agitait la main. On l'a agitée une dernière fois. Elle s'est baissée pour nous apercevoir, en faisant cadrer son visage dans la vitre. La voiture a démarré. Une carte routière était dépliée sur mes genoux. Il faisait froid. J'avais un petit bonnet rouge enfoncé sur les yeux. La route était déserte. Les peupliers défilaient, Déols, Levroux, Bourges, Issoudun, Auxerre, Tonnerre, Épernay. À la fin du trajet, on a commencé à voir des coteaux plantés de vignes, les ceps étaient bas et dénudés par l'hiver.

L'appartement était situé aux Chatillons, une zone périphérique au nord de Reims, à proximité du village de Cormontreuil, au sein d'un ensemble de HLM dont la construction remontait à deux ou trois ans. Les HLM proprement dits étaient groupés au cœur de la cité. Et, dans des petites poches un peu excentrées, des petites tours, ventrues, un peu massives, reconnaissables à leur façade carrelée plus ou moins mordorée, contenaient sur un maximum de huit étages des appartements dont le loyer était plus élevé, et pour l'obtention desquels les revenus pouvaient dépasser le plafond autorisé. Un trois-pièces nous avait été attribué au cinquième de l'une d'entre elles. Ces petites tours étaient mieux entretenues que le reste de la cité, elles étaient entourées de pelouse, mieux finies, les boîtes aux lettres étaient en bois foncé et les poignées de porte en acier. Quand on est arrivées, l'impression n'a pas été négative.

« Chère Rachel,
J'ai été heureux d'apprendre par Christine l'adresse de l'appartement que vous avez

trouvé. J'ai hâte d'aller vous voir. Christine a dû te dire que je pense pouvoir prendre quelques jours de congé dans la semaine du 25 février. Ce serait pour moi une grande joie de passer quelques jours avec vous si tu n'y vois pas d'inconvénient. Mon dernier séjour à Châteauroux m'a laissé un très beau souvenir, je le dois aussi bien à Christine qu'il est merveilleux d'apprendre à connaître, qu'à toi qui as si bien su défendre ta cause, avec toute ton intelligence et ta sensibilité qui sont grandes, et qui a été si gentille avec moi. Il m'arrive de regretter une réponse que je t'ai faite parce que je la croyais vraie, et qui t'a peut-être blessée. Je la regrette, parce qu'elle t'a peut-être blessée, et aussi parce qu'elle n'est peut-être pas vraie. Sois heureuse. Je te baise les mains. Écris-moi.

Pierre

Est-ce que Christine aura congé la semaine du 25 février ? »

Elle ne se posait pas la question de savoir si elle était bien ou mal aux Chatillons. Ses préoccupations étaient de rembourser un emprunt à sa banque, et de s'installer dans son poste. Elle était responsable du personnel. Les quatre employées du service, dont l'une avait été candidate à la fonction qu'elle exerçait, étaient en guerre contre elle. Il y avait tous les jours un désaccord, un refus de faire ce qu'elle demandait, une arrivée sans dire bonjour, un départ sans dire au revoir, un propos désagréable et même une fois dans un couloir une remarque sur sa judéité lancée à la cantonade.

— Rachel Schwartz, c'est pas un nom juif ça !!??

Nicole l'avait prévenue, il faudrait ne pas se décourager. Et pendant les six premiers mois se battre contre l'envie de rentrer.

« Chère Rachel,

Ton stage à Nancy, s'il est confirmé, va compliquer notre rencontre, il a lieu précisément la semaine où je serai libre. J'ai pris des jours de congé exprès pour venir vous voir. Je pourrai être à Reims le mercredi 27 février, et rester quelque temps, le 28, le 1er, peut-être le 2, je pourrais repartir le 3. L'essentiel est que je connaisse le plus rapidement possible ton organisation. Si ton stage est confirmé, préfères-tu que je vous rejoigne à Nancy ? J'ai hâte de voir venir le 27.

Je souhaite que tu t'adaptes vite et sans trop de mal à ta nouvelle situation. Je suis certain que tu y parviendras, et ne tarderas pas à retrouver une vie agréable. J'en suis certain parce que la réussite dépend moins des circonstances que des hommes et que, par conséquent, tu réussiras. Je suis impatient d'apprendre de toi les détails de votre installation et de tes débuts dans ton nouvel emploi. Sache bien que je pense à toi.

Pierre »

Pour mes quatorze ans, j'ai reçu un paquet qui venait de Châteauroux. Mes amies m'envoyaient un rond de serviette en argent avec un C stylisé, qui venait de la bijouterie Tranchant, et un livre sur l'adolescence, *Virginie a quatorze ans*.

Fin février, mon père est venu m'attendre à la sortie de l'école. J'avais une nouvelle amie, Véronique, je lui ai dit :

— Je t'attends pas. Mon père vient me chercher, j'y vais. À lundi !

Il fumait le coude posé sur la vitre ouverte de sa voiture, une 604 Peugeot bleu clair, il en avait changé. On est allés aux Chatillons. Je lui ai fait visiter l'appartement. Ma mère est rentrée quelques heures plus tard.

— Maman maman. Viens, viens. Viens. Viens je vais te faire un bibi complet...

Elle s'est laissée tomber sur le canapé, je me suis agrippée à elle, et pendant que je l'embrassais selon les règles du bibi complet, il lisait *Le Monde* assis près de la porte-fenêtre. Les pages, largement dépliées sur la table ronde juponnée, recevaient encore à cette heure-là un peu de lumière naturelle. Son fauteuil était dos au balcon et proche du canapé. Rien n'était loin. La pièce n'était pas grande. Pendant que j'embrassais le front, les paupières, les joues, le nez, le menton et les oreilles de ma mère, elle a entrevu un regard de lui. Il a levé les yeux par-dessus son journal. Ç'a été fugace. Ça n'a duré qu'un instant. Mais elle a eu l'impression que ce regard contenait quelque chose de désagréable. Elle n'aurait pas su dire quoi, c'était une impression. Ça pouvait être une projection de sa part. Elle l'a balayée.

Il a posé son journal, et s'est levé :

— Ta journée s'est bien passée ?

Les meilleurs restaurants de la région se trouvaient à l'extérieur de la ville, mais le Continental, à l'angle de la place d'Erlon et de l'Esplanade, était dans son guide et paraissait agréable. Après avoir monté huit ou dix marches, on est arrivés dans une grande salle en rotonde, entièrement vitrée, qui surplombait la place. Il s'est assis dos à la baie, et nous en face. Derrière lui on voyait le feuillage des arbres.

J'ai pris des crevettes roses en entrée, puis du saumon fumé. Ils ont pris des belons. Ensuite il a pris un chateaubriand à la béarnaise et elle un faux-filet. La viande était accompagnée de frites, fines, bien grillées.

— Oh qu'est-ce qu'elle est bonne, Pierre, cette viande !

Il en a coupé un morceau et l'a mis dans sa bouche.

— Humm.

Il a fermé les yeux pour mieux l'apprécier.

— Elle est bonne hein Pierre !?

— Humm !... Ah oui. C'est rare une bonne pièce de viande. Humm !... Comme celle-ci. Bien tendre. Humm !...

— Une bonne entrecôte c'est délicieux. Elle est très bonne ici la viande Pierre. Tu nous as amenées dans un excellent endroit. C'est un peu abondant, mais vraiment très bon.

— Ce qui me manque en Alsace, moi, ce sont les fruits de la mer. Je ne mange jamais d'huîtres à Strasbourg, tu sais !

— Alors que tu aimes tant ça !

— Oui, mais la fraîcheur des huîtres qu'on trouve là-bas n'a rien à voir avec celles qu'on trouve à Paris, ou même ici, c'est beaucoup trop loin des ports de pêche. En Allemagne non plus je ne prends jamais de poisson.

Il nous a interrogées sur notre installation, notre isolement dans la ville, ses difficultés au bureau, les études que j'envisageais, mon école. On a pris un dessert. Les profiteroles étaient la spécialité de la maison. On a poussé des cris en les voyant arriver, puis on est retournés aux Chatillons. Elle a mis des draps dans le divan du salon.

Le lendemain matin, ils n'avaient pas été dépliés. Il était dans la cuisine, et prenait son petit déjeuner.

Elle sortait de la salle de bains.

— Qu'est-ce qui se passe Christine ? Ça va pas ? Qu'est-ce qu'il y a ?

Je pleurais.

— Mais Christine voyons. Qu'est-ce qu'il y a ? Qu'est-ce qui va pas ?

— Rien.

— Mais si voyons.

— Rien maman. Je t'assure. C'est juste que ça m'a fait drôle de voir que vous avez dormi dans la même chambre. Comme hier tu avais mis des draps dans le divan... je pensais pas...

— Ça t'ennuie ?

— Non.

— Tu es sûre ?

— Oui.

— Pourquoi tu pleures alors ? T'es sûre que ça t'ennuie pas ?

— Oui oui. C'est normal. Ça m'ennuie pas. C'est normal un papa et une maman qui dorment ensemble. C'est juste que j'ai pas l'habitude.

Elle est partie travailler.

Une grande enveloppe, postée de Strasbourg, est arrivée quelques semaines plus tard. Elle contenait la copie de l'acte notarié par lequel je figurais sur la succession. Il y avait l'état civil complet de mon père avec la date de son mariage. Celle-ci était postérieure de six mois à la visite à Châteauroux qui s'était terminée par « maintenant tu t'en vas ». Qui l'avait fait tant pleurer la fois où il lui avait dit qu'il était marié. En fait il mentait.

« Chère Rachel,

Les nouvelles que tu me donnes de ton état psychologique m'attristent. J'aurais pensé que tu surmonterais plus facilement la difficulté du début. As-tu demandé et obtenu une entrevue avec ta direction comme je te l'avais conseillé ? En tout cas, ta décision de rester à Reims me paraît aussi la bonne à première vue.

Ce ne sera pas une consolation pour toi de savoir que j'ai des ennuis, mais ce sera peut-être une bonne raison de donner moins d'importance aux tiens. À la suite de troubles digestifs, j'ai dû consulter le médecin, qui a diagnostiqué une atonie de la vésicule biliaire, et prescrit un régime alimentaire (pas très rigoureux). Je ne crois pas que ce soit grave. Mais je ne serai pleinement rassuré qu'une fois connu le résultat des analyses auxquelles je vais devoir me soumettre. J'attends donc la fin du mois d'avril avec un sentiment d'incertitude, ce qui est toujours désagréable.

Quant aux petits mensonges, chère Rachel, il faut les compter pour rien à côté des bonnes grosses vérités. Ils arrivent quelquefois dans la conversation comme des formules de politesse, et il ne faut pas leur accorder plus d'importance. Est-ce que tu n'en commets pas toi, tiens, par omission par exemple ?

Je pense beaucoup à toi dans cette période difficile, et je serais heureux de pouvoir te réconforter. En tout cas je vais essayer de venir vous voir. C'est une chose à laquelle je pense tous les jours.

Je me souviens.

Pierre »

Il lui a proposé de lui verser une sorte de pension alimentaire. Cent cinquante francs par mois. Elle a accepté le montant sans discuter. Elle recevait le chèque au courrier. Il venait me voir régulièrement, il me prenait à la sortie de l'école, on partait pour le week-end le soir même, ou le lendemain. S'il avait mal à la tête, il prenait une chambre. Il avait ses habitudes à l'hôtel de la Paix. Au premier étage, le restaurant avait une immense cage à oiseaux, sur tout un pan de mur. Une volière qui décorait la salle. C'était très gai. On dînait avec le pépiement en fond sonore, et la vue des oiseaux qui sautillaient d'une petite branche à l'autre. Le matin on partait. Le lendemain il me ramenait en voiture, ou il me laissait dans une gare et je prenais le train.

— Tu embrasseras ta maman pour moi !

Elle avait été seule tout le week-end. Elle avait fait un tour en ville et était allée voir un film. Le reste du temps, souvent, elle avait pleuré seule dans l'appartement. Elle se raccrochait à une phrase de Paul Guth, qu'elle avait découpée des années plus tôt dans *La Nouvelle République* : « Certains fours préparent de lointaines victoires. » Qu'elle avait mise dans son portefeuille. Il y avait d'autres petits papiers soigneusement pliés dans le soufflet. Un autre découpé le jour de ma naissance : « Les enfants nés aujourd'hui auront une belle intelligence, une nature généreuse et altruiste, mais assez indisciplinée et prompte à la révolte, ou à la colère. Ils peuvent réussir dans des recherches originales et des travaux personnels. Forte ambition. »

Elle avait perdu dix kilos. La seule jupe qui lui allait était beige, plaquée sur le ventre, avec un pli creux sur le devant. Les autres flottaient sur ses hanches.

Sa chambre et la mienne étaient séparées par une cloison, à laquelle la tête de nos deux lits était collée. Le soir, avant d'éteindre la lumière, je tapais trois petits coups dans le mur, elle répondait par trois coups identiques.

Le balcon était au nord, et donnait sur une rocade. Le grondement des voitures était permanent et montait jusqu'à notre étage. Il y faisait froid. Il y avait du vent. On ne l'utilisait jamais. La nuit, parfois, elle se relevait. Elle enfilait sa robe de chambre, et accoudée à la balustrade, elle regardait passer les voitures en pleurant. Si elle était restée dans sa chambre, vu la minceur de la cloison, le bruit des sanglots m'aurait réveillée, sur le balcon ils étaient étouffés, et se mélangeaient à la masse sonore qui montait de la rocade. Mais j'entendais.

— T'inquiète pas, va te recoucher ma bichette. Ça va aller. C'est l'adaptation. Ça va passer, recouche-toi. Allez Christine, retourne dans ta chambre. Allez, va. Il faut que tu dormes. Demain il y a école.

Le premier hiver a été très froid. Le matin, sur le parking, on grattait le givre sur les vitres de la voiture. Pendant le quart d'heure que durait le trajet jusqu'au centre-ville, on discutait.

— Tu te rappelles quand tu me disais : « T'es gaie toi maman » ?

— Oui.

— Ben j'espère que je le redeviendrai un jour.

— Moi aussi maman.

— Il faut qu'on tienne. Hein ma bichette !? Il faut pas se décourager.

— Oui maman.

— Ça va aller. Hein ? Il faut juste qu'on tienne.

Le soir, je rentrais en bus, ou j'allais l'attendre à la sortie de la Caisse. Elle était presque toujours en retard, je finissais souvent accroupie sur le trottoir.

Il y avait une grande Maison de la culture au cœur d'un ensemble culturel et sportif. Cet ensemble était composé d'une MJC, d'une patinoire et d'une piscine olympique. La salle de théâtre faisait cinq cents places, la discothèque était tapissée de liège, chaleureuse, le plafond était bas, il y avait un ciné-club, plusieurs murs d'exposition dans la mezzanine et les coursives, la cafétéria se trouvait au niveau du jardin, et se prolongeait par une terrasse ouverte en été. Le bâtiment était en brique claire. Il s'enroulait comme un escargot. Un dimanche après-midi, on a décidé d'aller voir une pièce.

— C'était formidable maman.
— On a passé un bon dimanche hein !?
— C'était génial.
— Il n'y a pas ça à Châteauroux. Il faut qu'on tienne ma bichette, on va y arriver.

On dînait face à face dans la cuisine, elle dos à la fenêtre, moi dos à la pièce. On mangeait des endives au jambon, des gratins de pâtes, des tomates farcies, des filets de poisson. En souvenir de mon enfance, elle me faisait un gâteau à la Floraline de temps en temps. On regardait la télévision. On écoutait de la musique. Catherine Lara venait de sortir son premier disque. Il y avait une petite chauffeuse face à l'électrophone dans un coin du salon, sur laquelle je m'asseyais :

— « Avant le petit jour après la grande nuit
Quand on a fait l'amour et quand on s'est tout dit
On se dit à bientôt on se dit à jamais

Dans un mois dans un an
Quand nous reverrons-nous ?
Mais qu'il est loin le temps
Mais que l'amour fut doux »
Elle a traversé la pièce.

— Oh oui ça ! Que l'amour fut doux. Mon Dieu. Mon Dieu oui. Que l'amour fut doux. Oui. Oh oui.

Elle s'est assise dans le canapé, elle a pris son tube de crème, elle a commencé à se masser les mains. Les paumes, les doigts, un par un, de la naissance des poignets jusqu'au bout des ongles, en tirant sur ses doigts. Après la fin du morceau, elle a continué de chantonner. Sa jupe remontait sur ses cuisses. Sa chair s'écrasait sur les coussins.

— Tu as les cuisses toutes molles maman.

— Je t'en prie dis donc. Tu verras, toi, comment elles seront les tiennes quand tu auras mon âge.

Elle avait quarante-trois ans.

Ce qui expliquait la couleur jaune de la cathédrale était le sol crayeux de la région, nous avait-on dit. Et c'était aussi ce qui rendait le vignoble exceptionnel. Les vignes étaient ramassées sur une colline appelée « la montagne de Reims ». Les coteaux en étaient couverts à l'exception d'une petite forêt sur le versant ouest, « les faux de Verzy ». C'était une variété d'arbres dont le tronc était tordu, un croisement entre chêne et hêtre, qui ne poussait qu'à l'intérieur de ce petit périmètre. Les allées étaient jonchées autant de glands que de feuilles de hêtre. Il y avait une autre promenade possible, dans la ville, le long du canal. Un chemin de terre suivait le courant jusqu'à une écluse. Des immeubles, avec des petits balcons en bois, bordaient l'eau. Ils faisaient partie d'un ensemble résidentiel qui montait jusqu'à la basilique.

— J'en ai marre moi, on fait rien, on s'ennuie. C'est pas intéressant ! Quel ennui. On est là, comme ça. Qu'est-ce que c'est ennuyeux ! Qu'est-ce qu'elle est pas intéressante cette vie ! Je m'ennuie moi ici. Quel ennui !! Mais quel ennui ! On parle jamais de rien. De rien d'intéressant. J'en ai marre de cette vie moi.

Passé le stade de la découverte, notre face-à-face est devenu difficile.

— Excuse-moi Christine, je peux pas t'offrir plus que ce que je t'offre. On est allées se promener, on est allées au cinéma. Je peux pas faire plus. J'avoue. J'ai mes limites. J'ai pas le salaire de ton père, ni sa culture, je le regrette. Crois-le bien. Et je ne suis sûrement pas aussi intéressante que lui, je te l'accorde. Je voudrais bien moi aussi pouvoir t'offrir des choses qui t'intéressent.

Je restais dans ma chambre jusqu'à l'heure du dîner. À table, le plus souvent, on se taisait. Ou on se disputait. Si je rentrais d'un week-end avec mon père, je le lui racontais.

— Je voudrais retenir tout ce qu'il me dit. Tout. Tout ce que j'apprends, tout ce qu'il m'explique. C'est tellement intéressant. Si seulement je pouvais tout retenir ! Je retiens même pas la moitié, je retiens... un quart peut-être, même pas, un dixième.

Au bureau on lui faisait la guerre, entre nous c'était difficile, elle n'avait pas d'amis, personne à qui parler à part son médecin généraliste.

— C'est difficile docteur... ma fille est à l'âge de l'adolescence...

— Qu'est-ce qui est difficile madame ?

— Oh, un ensemble de choses. On a perdu notre entourage, déjà. Bon, c'était un entourage familial. Il était peut-être pas parfait, mais c'était un entourage intime. Protecteur. Ici on n'a personne. On n'a aucun contact un peu familier. Les gens avec qui je travaille... mais ça reste très extérieur. Je peux même pas dire que c'est des relations. C'est très superficiel. Je n'ai personne chez qui je peux passer par exemple. Ou même à qui je pourrais téléphoner. J'aurais besoin de parler quelquefois voyez.

— Bien sûr.

— J'élève ma fille toute seule depuis qu'elle est née. C'est un grand bonheur mais c'est pas toujours facile. Là, elle vient de rencontrer son père. Ça me soulage un peu. Mais c'est compliqué. Bon. C'est un homme très cultivé, qui lui apporte beaucoup de choses. À côté, moi, je lui apporte plus rien. Et elle en a marre de sa mère.

Elle lui décrivait une évolution. C'était l'adolescence. Une évolution normale. L'adaptation à la ville rendait les choses difficiles. Elle n'arrivait pas à reprendre de poids. Elle dormait mal. Elle reconnaissait qu'elle donnait des signes de dépression. Elle avait l'air triste, et la voix calme.

— C'est sûr que je ne peux pas lui apporter ce que son père lui apporte. Ce que je lui apporte ne lui suffit plus, je le comprends. Alors il y a un phénomène de rejet. C'est normal. Mais, c'est dur à vivre.

— Vous dites que vous le comprenez madame ?

— Oui. Je le comprends.

— Qu'est-ce que vous voulez dire ? Qu'est-ce que vous comprenez ?

— Je trouve ça normal d'une certaine façon. Et je dirais même, je l'accepte.

— Pourquoi l'acceptez-vous ?

— Son père est quelqu'un de très instruit. Beaucoup plus que je ne le suis. Ils ont beaucoup de goûts en commun. Pour ma fille, forcément, c'est intéressant. Je trouve ça normal. Elle en a été privée. Elle est attirée par ce qu'il lui apporte. Je le comprends. Et je comprends que, à côté, ce que moi je peux lui apporter c'est pas grand-chose. Je l'accepte. Oui. Je suis bien obligée de l'accepter de toute façon. Vous pensez que j'ai le choix docteur ?

— Je ne sais pas, peut-être.

— Non docteur. Je ne crois pas. Il y a une séparation, c'est sûrement inévitable. Qu'est-ce que je peux faire ? Je ne vous dis pas que j'en souffre pas hein... Je pense pas être quelqu'un de bête, vous savez docteur. Mais j'ai pas la culture de son père. C'est sûr. Les discussions qu'on a toutes les deux sont plus simples. Sans doute. On a été très proches, vous savez, ma fille et moi. Ça fait un gros changement. Elle s'ennuie pas avec lui, c'est bien. Avec moi maintenant elle s'ennuie. Bon, je comprends. Ça me fait de la peine, je vais pas vous dire le contraire.

— Elle le voit souvent son père ?

— Régulièrement oui, j'en suis heureuse d'ailleurs, c'est pas la question. Je trouve formidable qu'il puisse lui apporter tant de choses. Il l'ouvre sur un monde qu'elle aurait jamais connu, et c'est son père. Ça sera important pour elle cette ouverture plus tard. Il lui apporte une ouverture sur énormément de choses. Que je ne connais pas. Et comme ce sont des choses qui l'intéressent. Forcément...

Parfois, mon amie Véronique m'invitait chez elle. Elle était la fille d'un viticulteur de Verzenay. Il y avait trois étages d'habitation, un hangar, qui abritait un pressoir, et un joli jardin à l'arrière. Des rosiers grimpaient sur la façade, autour de l'escalier, les roses formaient une sorte de dais au-dessus du perron. Elle avait aperçu mon père plusieurs fois, elle en était curieuse. On s'intéressait aux mêmes choses, la littérature, le théâtre et les langues. Quand ma mère venait me chercher, ses parents l'invitaient à s'asseoir dans le salon, lui offraient une coupe de champagne, et lui expliquaient pourquoi la forme tulipe du verre, qu'elle tenait entre ses doigts, permettait aux arômes de se diffuser et aux bulles de monter.

On nous aurait vues, le soir, dans la cuisine, on n'aurait pas pu imaginer à quel point je l'avais aimée. Il n'y avait plus d'intimité entre nous. On était à couteaux tirés. Si elle faisait une faute de grammaire, je pinçais la bouche, et mon corps se raidissait sur ma chaise. Si elle en faisait une deuxième, sur un ton coupant je la corrigeais.

Le lendemain, dans la voiture, ça continuait sur un nouveau sujet.

— Mais enfin Christine, arrête de me bousculer comme ça tout le temps. Pourquoi tu me dis des choses qui me font mal comme ça ?

— Mais c'est vrai quoi, je suis désolée ! On n'est pas une famille.

— Mais si ! On est une famille.

— Deux personnes, c'est pas une famille, je regrette.

— Je ne suis pas d'accord pour que tu dises qu'on n'est pas une famille. On est une famille de deux personnes, mais on est une famille. Qu'est-ce qu'on est alors si on n'est pas une famille ?

— Une famille c'est pas ça. Pour moi en tout cas, on n'est pas une famille. Je regrette. C'est la vérité. Je vois pas en quoi c'est un problème de le dire. Tu ne peux pas m'obliger à penser qu'on est une famille. J'ai le droit d'estimer qu'on n'est pas une famille quand même. Et j'ai le droit de le dire.

— Oh toi, toi, bien sûr, t'as le droit de tout.

— On est une mère et sa fille, voilà, c'est tout. Deux personnes dans une maison c'est pas une famille. Je suis désolée.

Ses larmes se mettaient à couler.

Elle se taisait.

— Je suis désolée, c'est une évidence. Pas la peine de pleurer.

Mon père ne passait plus à la maison. Quand il me ramenait, il me déposait sur le parking. Je prenais l'ascenseur, j'arrivais au cinquième, et je sonnais à la porte. Elle ouvrait. Je ne souriais pas. Je ne lui sautais plus dans les bras. Je lui faisais deux bises rapides dans l'entrée. J'avais l'air énervée comme si je reprenais ma vie avec elle à regret.

On allait à Châteauroux pour les fêtes. On allait revoir la rue de l'Indre. Et on entrait dans le chemin en silence. Puis on arrivait au niveau de la maison. Les nouveaux habitants avaient construit un mur. On ne voyait rien. On voyait la fenêtre de la cuisine, parce qu'elle donnait dans le chemin.

— Non Christine. Pleure pas.

On ne voyait pas le jardin. On se mettait sur la pointe des pieds. On apercevait le haut des arbres. À la Toussaint, on allait au cimetière. On fleurissait la petite tombe grise où étaient enterrées ma grand-mère et la sienne. Elle s'appelait Marie. Elle ne savait ni lire ni écrire. À dix ans, elle avait été travailler dans une exploitation agricole de la région comme fille de ferme. Elle en avait été chassée cinq ans plus tard enceinte du propriétaire. Elle était rentrée à Châteauroux. Elle s'était mariée. Son mari avait reconnu ma grand-mère. Malgré son analphabétisme elle était respectée. C'était une femme sur les pieds de laquelle il ne fallait pas marcher. Elle et son mari tenaient aux Halles une boucherie chevaline. Ils avaient acheté le 36 de la rue de l'Indre. Ils possédaient tout de la rue à la rivière. Ils vivaient dans la maison à la tourelle, et percevaient le loyer de quelques locataires. Ma grand-mère était partie à Paris à vingt ans. Elle avait travaillé dans une maison de mode où elle avait été couturière puis mannequin cabine. Elle avait dû rentrer à cause d'une congestion pulmonaire. Elle avait rencontré mon grand-père un 1er janvier dans un bal de société, et en était tombée éperdument amoureuse.

Un journal gratuit atterrissait à Reims dans toutes les boîtes aux lettres. Il donnait le programme des spectacles, et publiait plusieurs colonnes d'annonces dont une intitulée « rencontres ». Et elle achetait toujours *Le Chasseur français*. Une annonce lui a plu. Elle est allée voir l'homme à Paris, et elle est revenue enchantée. Une deuxième visite était programmée. Au retour, elle pleurait. C'était un dimanche soir, je rentrais, j'avais vu mon père, elle était assise sur le fauteuil, près du balcon, dos à la lumière.

— Tu veux que je te dise ? Ben tu vois, la vie c'est une vraie vacherie !

Quelques jours plus tard, dans le journal gratuit de la ville, une annonce a retenu son attention : « Antiquaire aimerait constituer groupe d'amis. »

Les réunions avaient lieu au-dessus du magasin. On s'y tutoyait. Un groupe de cinq à six personnes s'y retrouvait. Une femme d'origine flamande qui vivait seule avec ses deux filles. Un ingénieur chimiste qui travaillait dans une usine de détergents. Mauricien, il sortait avec une fille blonde aux yeux bleus et à la peau de bébé, il s'appelait Marc et la fille Amandine. Un employé d'assurance qui s'intéressait à la culture. Il adorait rire, il avait vingt-sept ans, un petit zozotement, des théories sur tout et des yeux vifs.

— Tu as un beau pantalon en velours dis-moi Rachel ! C'est beau ce velours marron, mat. C'est mystérieux, envoûtant, profond. Je cherche une veste en velours bleu marine, moi. Et je n'en trouve pas. Je veux que ce soit un velours lisse, brillant.

— Tu disais que tu aimais le velours mat !?

— Le velours marron ! Oui ! Doit être terne, opaque, éteint, mystérieux, profond. Mais le bleu marine, surtout pas. Le velours bleu marine doit être étincelant, brillant, comme l'eau. Excusez-moi, je change de sujet, cette semaine j'ai vécu une expérience assez traumatisante. J'ai rencontré par hasard dans la rue une fille que j'ai très très bien connue, j'avais appris qu'elle s'était mariée, je ne l'avais pas revue depuis, je gardais le souvenir d'une fille très agréable, qui avait un postérieur... disons... sympathique ! Eh bien quand je l'ai revue, on aurait dit une bassine à frites.

L'antiquaire :

— Oh !... Régis !

Ensuite, le groupe s'est réparti dans trois voitures en direction des faux de Verzy. On s'est baladés, elle m'emmenait parfois. Et on est rentrées juste avant l'heure du dîner.

— Il est pas mal comme type Marc je trouve ! Il est un peu jeune pour moi c'est dommage, je le trouve bien. J'aime bien moi ce genre d'hommes, mais, il est un peu jeune...

Il avait dix ans de moins qu'elle.

— De toute façon il est avec Amandine non ?

— Je dis ça comme ça, vu mon âge ce serait ridicule de toute façon. Je vais pas lui faire des avances. Si je l'intéressais, en revanche, je dirais peut-être pas non.

Un dimanche après une balade, Marc nous a raccompagnées à la maison, il avait une Ford Taunus bleu métallisé. Il est monté avec nous dans l'appartement. On s'est assis tous les trois dans le salon.

Un petit livre traînait sur la table basse...

— Tiens tiens... le Scorpion !

— Oui Marc, je suis Scorpion, et je m'intéresse à l'astrologie. Tu trouves ça bête ?

— La femme Scorpion et l'amour, tiens tiens...

— Qu'est-ce que tu veux Marc, ça m'intéresse. C'est sûrement idiot, mais bon. C'est ridicule hein !?...

— Pas du tout. Au contraire. C'est très intéressant. Voyons voyons... La femme Scorpion est sentimentale....

— Mmm... Hhououi.

— La femme Scorpion est souvent frigide...

— Non...

— Ou nymphomane.

— Non plus.

J'étais assise à côté d'elle sur le canapé. Il était sur le fauteuil d'en face.

149

Mon père m'a proposé de venir passer une semaine à Strasbourg. Ses enfants ne connaissaient toujours pas mon existence, mais ils partaient au Maroc avec leur mère pour les vacances de Pâques. L'appartement serait vide.

Au retour, elle est venue me chercher à la gare. Dans l'entrebâillement de la porte du wagon, je souriais vaguement. Comme chaque fois que je la retrouvais, ça n'avait pas l'air d'aller. Je suis descendue sur le quai, mon sac à l'épaule.

— Ça s'est bien passé ?

— Moyen.

— Ah bon pourquoi ?

Je ne faisais jamais de remarque négative.

— Pourquoi moyen ?

— Ç'a été difficile.

— Ah ! Qu'est-ce qui a été difficile ?

— Lui. Il est difficile.

— Mais quoi ? Quoi en particulier ?

— Son caractère.

— Je sais.

Dans la voiture la conversation n'a pas continué. On est arrivées aux Chatillons. Et là, dans l'appartement, à partir d'un détail, d'une façon que j'ai eue de lui parler, d'une remarque, d'un ton plus agressif que d'habitude auquel elle a répondu par de l'agressivité, une crise a éclaté. Ça s'est terminé en accusations. En cris. Jusqu'à ce qu'on se mette à pleurer épuisées l'une et l'autre. On s'est embrassées. Puis, elle m'a serrée dans ses bras.

— Ça s'est pas bien passé maman...

— Qu'est-ce qu'il y a eu ? Il s'est passé quelque chose de spécial ?

— Ben tu vois, par exemple, un jour, après le déjeuner, on sortait pour aller faire un tour. J'étais contente, parce que, comme lui il travaillait, moi j'attendais toute la journée, et là on sortait. Donc j'étais contente. Ça me faisait plaisir de sortir. Il était sur le palier et je l'ai suivi. Je suis sortie sur le palier. Et j'ai fermé la porte. À ce moment-là il s'est rendu compte que la clé était à l'intérieur. Moi j'avais fermé, je pensais qu'il avait pris la clé. Puisqu'il était sur le palier. Je pouvais pas savoir qu'elle était restée à l'intérieur. Et là maman, il s'est mis à m'accuser. Mais tu peux pas savoir, maman, comment il m'a parlé. Il m'a dit qu'on fermait pas la porte soi-même, quand on n'était pas chez soi. Que ça se faisait pas. Que, quand on était chez les gens, c'était grossier. Que c'était impoli. Que je n'avais pas à faire ça, que je n'étais pas chez moi. Tu te rends compte ? Tu te rends compte maman comme c'est dégoûtant de me dire ça, de me dire ça à moi ! Il me parlait comme si j'étais du poisson pourri. C'était horrible. Ça a duré tout l'après-midi. Il m'a hurlé dessus, tout l'après-midi. Tu peux pas savoir maman, c'était affreux.

— C'était pas de ta faute enfin ! Tu pouvais pas deviner qu'il avait pas pris ses clés.

— Oui. Mais lui il disait que c'était de ma faute. Parce que...

— Ne pleure pas Christine, c'est fini. Raconte-moi calmement.

J'ai repris.

— Ben il disait que… que quand on est chez les gens… Eh ben… Qu'on sort pas en premier. Voilà. Voilà, c'est tout. Mais en deuxième. Après le propriétaire. Moi je disais « oui, mais t'étais sur le palier ». Il me répondait que ça avait rien à voir. Que le fait qu'il soit sur le palier changeait rien. Que c'était un principe. Qu'on fermait pas la porte quand on n'était pas chez soi. Il a dit ça je sais pas combien de fois maman. Que c'était une question de politesse, d'éducation, que j'aurais dû le savoir. Que ça fait partie des règles. Et tout ça. Que je devais sortir en deuxième. Après lui. Parce qu'on était chez lui. Et pas refermer la porte, comme si j'étais chez moi. Combien de fois il m'a dit ça. Tu te rends compte. Tu te rends compte maman comme c'est méchant de m'avoir dit ça ? C'est difficile quand même… D'entendre ça. Pour moi.

— Oui. Très difficile. Et comment ça s'est terminé ?

— Ben il a fait venir un serrurier, et ça a coûté très cher. Il a dit que c'était de ma faute. Et la journée a été gâchée.

— Et après ? Ç'a été mieux ? Ou ç'a été comme ça toute la semaine ?

— C'était pas tellement agréable maman comme semaine.

— C'était trop long peut-être. Non ?…

— Oui. Peut-être. Et puis lui il allait travailler. Alors moi je restais à la maison toute la journée, et je m'ennuyais.

— Oui c'était trop long.

— Et puis même, c'était pas bien. Et il s'est passé autre chose.

— Quoi ?

— Ben…

— Dis-moi.

— Ben… Tu vois. Le matin, lui il partait tôt. Je prenais mon petit déjeuner après son départ. Et à midi, il rentrait. Un midi il est rentré, et j'avais oublié de ranger la bouteille de lait dans le frigidaire, après mon petit déjeuner. Quand il a vu que le lait était encore sur la table, tu peux pas savoir comme il m'a parlé maman !!!

— À cause d'une bouteille de lait que t'avais pas rangée ?

— Oui. Il m'a parlé comme si j'étais du poisson pourri. Comme s'il me détestait. En hurlant. Il disait : « Tu sais pas que le lait ça tourne !? » Et il criait. « Tu sais pas ça. » « Comment tu ne sais pas ça à ton âge ? » Il me parlait sur un ton maman, mais sur un ton. C'était horrible. C'était horrible maman. Il m'a dit des choses, des choses, mais des choses, horribles. Horribles. C'étaient des choses horribles, maman. En criant fort. Fort, fort. Tellement fort. Tu peux pas savoir. Tu peux même pas imaginer. Tu peux même pas imaginer comme il criait fort. « Le lait ça tourne, si on ne le range pas, à ton âge tu ne sais pas ça ? » Et moi : « Si je le sais, mais j'ai oublié. J'y ai pas pensé. J'ai pas fait exprès. Pardon. J'ai pas fait attention. » Et lui : « Arrête de pleurer comme une toute petite fille. » Parce que je pleurais. J'en peux plus maman. J'en peux plus. C'était dur comme semaine. C'était trop dur. Ça s'est vraiment pas bien passé. Vraiment pas. Ça s'est pas bien passé du tout. Du tout du tout.

— T'auras quand même envie d'y retourner, ou pas ?

— Je sais pas. Si. Peut-être.

— En tout cas il faudra sûrement pas rester aussi longtemps.

— Ah ça non, je veux plus.

— Il a un caractère terrible. Il y a eu des bons moments quand même ? Ou ç'a été comme ça tout le temps.

— Si. Il y a eu quand même quelques bons moments. Si. Quand même. Mais pas beaucoup. Au début. Au tout début de la semaine. Il est en train d'écrire un livre sur la langue ibère... Alors il m'en a parlé. Et c'était intéressant.

— Et sinon, l'appartement est agréable ?

— Oui. C'est joli. C'est très confortable. C'est bien arrangé. Il y a plein de petits trucs, plein de petits détails, qui sont jolis.

— C'est quel genre ? Plutôt ancien ? Plutôt moderne ?

— Plutôt ancien. Il y a des meubles anciens, qui viennent de sa famille je crois. Il y a des tableaux au mur, des gravures. Et puis j'ai bien aimé la salle de bain. Elle est très jolie. Il y a plein de pots en verre, avec des colliers à l'intérieur. C'est très gai, très coloré. Et dans le salon aussi, il y a plein de petits objets, c'est mignon...

— Moi j'aime pas ce qui est mignon.

— Mais c'est pas *que* mignon. Il y a des très beaux meubles qui viennent de sa famille, qui sont très beaux. Et ils habitent tout près du parc de l'Orangerie, dans un duplex. C'est grand. Il y a une immense bibliothèque qui fait la hauteur des deux étages. Et, au niveau de la mezzanine il y a un deuxième petit salon, un petit salon de lecture. Où tu peux aussi regarder la télévision. Et dans la bibliothèque, il y a toute une partie avec que des films... Il y a tous les grands films de tous les grands cinéastes. J'aurais bien voulu avoir le temps de tous les voir. C'était impossible tellement il y en avait. Il y a tout un pan de mur. Ils ont un magnétoscope. Alors, quand des films passent à la télé le soir tard, ils les enregistrent. Et avec la cassette il met l'article du *Monde* ou de *Télérama* qui correspond. Comme ça tu peux voir l'année où ç'a été réalisé, le nom de l'auteur, tout. Et puis par les fenêtres, tu vois l'Orangerie. C'est magnifique.

L'été approchait. Une de mes anciennes copines de Châteauroux m'invitait trois semaines au bord de la mer, en Vendée. Ce n'était pas encore certain, il y avait des travaux dans leur maison. Elle se trouvait sur la côte Atlantique. À Saint-Jean-de-Monts face à la plage. Pour aller se baigner, il n'y aurait que la rue à traverser.

« Chère Rachel,
Que tu sois curieuse de ma recherche sur l'ibère me fait plaisir, malheureusement le temps m'a manqué ces derniers jours pour jouer de mon violon d'Ingres. Quant aux chapitres terminés, il me suffit de les relire

pour vouloir ajouter ou retrancher quelque chose. Pourtant, puisque tu m'y invites si gentiment, je trouverai la force de renoncer à la perfection, et t'enverrai bientôt quelques chapitres.

Tu sais que j'ai réservé le mois de juillet à des vacances au Canada, dont je rêve depuis des années, il est temps que je me débarrasse de mon obsession. Un doute paraît assombrir le projet de séjour de Christine au bord de la mer. J'espère de tout mon cœur que l'invitation qu'on lui a faite sera confirmée. Quant à toi, j'hésite encore, parce que j'en éprouve de la peine, à te ranger parmi " les Français qui ne partiront pas en vacances cette année ". C'est pourquoi j'aimerais que tu répondes à cette question : Où voudrais-tu partir si Christine te laisse seule ? Espagne, Tunisie, côte Atlantique près de notre petite fille ? Si mes finances ne s'y opposent pas, je pourrais grouper en une seule fois les sommes que je compte te faire parvenir en plusieurs mois. Tu devras sonder tes propres désirs et peut-être les offres des agences de voyage.

Tiens-moi au courant des projets de Christine, de tes intentions et aussi de ta santé, dont tu ne souffles mot dans ta lettre.

Je pense à toi,

Pierre »

Au début du mois de juin, mon oncle, ma tante et mes cousines sont venus nous voir. On a visité la cathédrale. On est allés place d'Erlon. Mon oncle marchait derrière nous en

levant les yeux vers les façades. Ma tante, serrée dans une longue veste ceinturée, tenait un
paquet de gâteaux qui se balançait au bout
d'une ficelle. La boulangère lui avait rendu
la monnaie sans la regarder, en parlant à
quelqu'un d'autre. Ma mère lui expliquait la
mentalité des gens de la région, leur froideur.
Je marchais entre elles, et pour les amuser
j'imitais l'accent rémois.

— Ah ben j'n'sais po !

En fin d'après-midi, mon père a téléphoné.
Il était en Belgique et proposait, plutôt que
de rentrer directement chez lui, de faire un
crochet par la Champagne. Le lendemain,
vers une heure, on a sonné. Je suis allée
ouvrir, j'ai fait les présentations. Pendant
le déjeuner il s'est montré curieux, il leur a
posé des questions, au moment du dessert
il s'est rendu compte qu'il avait oublié ses
cigarettes dans sa voiture, il est descendu.
Mon oncle a dit :

— Il est très gentil.

Je suis allée dans ma chambre chercher
la photo de mon demi-frère et de ma demi-
sœur, mon oncle l'a mise au niveau de mon
visage, il a constaté des ressemblances. Mon
père est remonté. Il a proposé de m'emme-
ner faire un tour, le soir il m'a ramenée.
Toute la famille était groupée autour de la
télévision, dans le canapé et sur deux fau-
teuils qui en avaient été approchés. Ma tante
s'est levée :

— C'est que vous avez été manger au restaurant ?

— Oui dans le restaurant de son hôtel.

— C'est qu'il va toujours au même hôtel ?...

— Oui, tu sais, celui dont le restaurant a une volière, je vous en ai parlé, hier on est passés devant, place d'Erlon.

— D'accord.

Après les vacances d'été, Marc a téléphoné. J'étais seule à la maison. Le lendemain, il est venu me chercher à l'école. Quelques jours après il m'a emmenée chez lui. Un samedi soir j'y suis restée la nuit entière. Et le lendemain matin, de façon à ce que la situation soit claire, il m'a raccompagnée, sachant qu'elle serait là.

Quelques mois plus tard, il l'a appelée à la Caisse :

— Il faut qu'on se voie Rachel.

Il lui a proposé de passer la chercher le soir même.

Elle a tout de suite vu la Ford Taunus garée le long du trottoir, de l'intérieur il lui tenait la porte ouverte. Là, ç'a été très rapide. Elle s'est assise à côté de lui. Et, dans la voiture à l'arrêt, ils ont parlé.

— J'ai des choses à te dire en ce qui concerne Christine et son père. Il ne faut absolument pas qu'elle aille à Paris ce week-end. Ce serait catastrophique pour elle. Car il la sodomise depuis des années.

Elle a mis un temps avant de comprendre de quoi il s'agissait. Puis, elle a reçu un coup sur la tête.

Au cours de la nuit qui a suivi, elle a eu une violente poussée de fièvre. La température est montée jusqu'à 41 degrés. Elle faisait une infection des trompes. Elle a été hospitalisée, elle est restée dix jours à l'hôpital. Elle tombait des nues. En même temps... elle n'était pas surprise.

J'ai écrit à mon père que je ne voulais plus le voir.

« Christine,

J'ai toujours appliqué ta volonté, et respecterai ta nouvelle décision. Ce que tu as raconté à ta maman est grave, c'est un coup de couteau que tu plantes dans mon cœur et je vais devoir me remettre de cette blessure. Ma déception est à la mesure de la joie que j'ai eue à te rencontrer, faire ta connaissance a été un grand bonheur, mais j'éprouve aujourd'hui le sentiment de m'être trompé sur toi. Tu te rendras compte, sans doute plus tard, de la douleur que tu m'infliges.

Je souhaite néanmoins que la vie se conforme à tes désirs.

Papa »

Il a continué de lui envoyer cent cinquante francs une fois par mois.

Deux ans plus tard, quelques jours après mon anniversaire, je venais d'avoir dix-huit ans, elle a reçu une lettre, il l'informait de l'arrêt du versement.

La coupure était nette.

— Tu sais Christine, si j'avais voulu, j'aurais pu l'obliger à me verser une pension alimentaire correcte jusqu'à la fin de tes études. Il aurait fallu que j'aille devant un tribunal. Et surtout, que je m'en occupe avant que t'aies dix-huit ans. Ça doit être fait avant la majorité de l'enfant. Bon. Là c'est plus possible. Il est malin le père Angot, il est bien renseigné. Il sait que je peux plus rien faire. Et j'aurais eu beaucoup plus que cent cinquante francs, si j'avais demandé une pension, tu penses bien, vu sa situation !

— Pourquoi tu l'as pas fait quand il était encore temps ?

— Oh tu sais. Non. Non.

Sa tête oscillait de droite à gauche.

— J'ai pas voulu. Non.

— Pourquoi ?

— Non. Non non. J'ai jamais voulu placer les choses sur ce terrain-là.

Sa bouche tirait vers le bas, indiquant le mépris de ce qu'elle aurait pu faire, et que d'autres à sa place auraient fait.

— Ç'aurait été normal maman. Tu aurais dû. Même pour moi.

— Je lui ai jamais demandé d'argent, j'allais pas commencer.

— Pourquoi pas ?

— Non.

Elle a souri, toujours en balançant la tête.

— Non non.

Elle m'a embrassée. Et elle m'a caressé les cheveux.

— Ah la la ma petite bichette.

Le timbre de sa voix n'était pas le même qu'avant. Les mots avaient l'air de sortir d'une boîte ancienne, d'y avoir été conservés plusieurs années, d'en sortir un par un, détachés les uns des autres, sans fluidité, comme de vieux papiers qui s'effritaient entre ses doigts à la lumière.

— Ah. La la… Ma. Petite. Bichette…

Elle a rencontré un professeur de physique, il enseignait à l'université de Reims. Il vivait à Paris, il était marié. Un an plus tard il a rompu avec sa femme, et il est venu s'installer aux Chatillons. À table, il était souvent question de politique. Il militait au SNESUP, un syndicat d'enseignants du supérieur marqué à gauche. Je faisais des études en droit et participais aux conversations. Puis j'ai quitté la maison. Dans les semaines qui ont suivi, elle a recueilli une petite chatte qui errait dans le quartier, qu'elle a appelée minette. Souvent elle l'appelait bichette et moi minette. Elle lui parlait avec la voix qu'elle avait eue pour me parler et sur le même ton.

Le jour de mes vingt ans, mon oncle, ma tante et mes cousines sont venus à Reims. Elle a mis des couverts en argent, de belles assiettes. Au moment du dessert, la porte de la cuisine s'est ouverte, elle portait un gâteau, les bras levés, vingt bougies allumées éclairaient son sourire. Dehors il faisait nuit et Marie-Hélène avait éteint la lumière. On entendait le ronflement des voitures qui passaient sur la rocade. Et elle, qui chantait :

— « On n'a pas tous les jours vingt ans

Ça n'arrive qu'une fois seulement
Ce jour-là passe hélas trop vite
C'est pourquoi faut qu'on en profite
C'est le plus beau jour de la vie... »

Elle avançait avec le gâteau en hauteur, mon oncle, ma tante, mes cousines et André, le professeur de physique, ont repris en chœur :

— « ... Ça n'arrive qu'une fois seulement
On n'a pas tous les jours vingt ans... »

Elle a posé le gâteau devant moi, debout derrière ma chaise elle m'a embrassée, en se baissant par-dessus mon épaule.

— Hein ma bichette. Ils sont beaux tes vingt ans. Tu vas voir. Tu vas avoir une belle vie. Hein ? Il faut pas pleurer ma Christine. Hein ? Pleure pas ma minette.

Quelquefois, elle évoquait Charlie, le fiancé de ses dix-sept ans. Ou Jean Dubois. Quand il était question du passé, de ses premières amours, du passage du temps. Puis elle enjambait plusieurs années, et arrivait directement à André. Elle trouvait qu'on se ressemblait.

— Ah la la ces Verseau !...

Ils se sont mariés un jour d'été.

Je venais d'emménager avec un garçon, le fils du directeur de la Caisse. Elle s'est installée avec André dans le même quartier. Nos deux immeubles étaient séparés par une petite allée. Du balcon de sa cuisine elle voyait mes fenêtres, on se croisait tous les jours, et on se téléphonait plusieurs fois par jour.

— Mais tu vois toujours ton acupuncteur ?

— Oui, mais bon... tu sais maman, j'ai vécu des choses très dures.

— Mais maintenant tu es bien avec Claude.

Elle le connaissait depuis longtemps. Quand il était au lycée, puis étudiant, il passait voir son père à la Sécurité sociale de temps en temps.

— Vous êtes bien tous les deux ? C'est fini ça. Non ? Tu es bien avec Claude. Non ?

— On s'aime beaucoup mais c'est pas toujours facile. Ce que j'ai vécu m'empêche de vivre bien.

— Ça va pas mieux ? Tu y penses toujours ?

— Des fois j'ai envie d'aller voir mon père et de tout casser chez lui.

— Ah ça, moi aussi. Mais qu'est-ce que ça apporterait ?

— J'aimerais bien qu'il prenne conscience qu'il a foutu ma vie en l'air, tu vois. C'est tout.

J'ignore en quelle année exactement, mais entre mes seize ans et mes vingt-six ans, mon père a acheté un pied-à-terre à Paris. L'appartement se trouvait dans le dix-septième arrondissement, au sixième et dernier étage d'un immeuble haussmannien, qui faisait l'angle de la rue Médéric et de la rue de Courcelles. Plusieurs chambres de bonne avaient été réunies, des cloisons avaient été abattues, une salle de bain avait été créée, ainsi qu'une petite cuisine. Le tout formait un ensemble de soixante-dix mètres carrés, à dix minutes de l'Étoile, et à égale distance du parc Monceau et du boulevard Pereire.

Sa femme en avait fait un endroit pratique et confortable. Les murs étaient peints en blanc. Il y avait une seule note de couleur, une immense couverture en patchwork, fixée à la paroi mansardée. C'était un havre de tranquillité. Ils y allaient ensemble ou indépendamment. Lui très régulièrement. Elle quelques jours par an pour voir une exposition et se promener. Leurs enfants avaient grandi, ils y allaient aussi. L'année de mes vingt-six ans, après dix ans d'interruption je l'ai revu. Il m'a donné un trousseau de clés. Quand l'appartement était libre, je pouvais y aller.

Au cours d'un déjeuner, j'y ai fait la connaissance de sa femme. Une blonde aux cheveux longs avec un grand nez. On était assis tous les trois autour de la table ronde qui était recouverte d'une nappe blanche. Les plis retombaient au sol. Toute la vaisselle était blanche. Les assiettes, les plats, les tasses à café, le beurrier, le sucrier, etc. Le visage tourné vers moi, elle souriait, et me racontait la première fois qu'elle avait déjeuné chez les parents de mon père. Un dimanche, boulevard Pereire.

— Ils hadoraient les huîtres tu sais... c'étaient des connaisseurs. Et... pour heux, c'était un éfénement, tu fois, ce chour-là. Pour moi haussi d'ailleurs. Heffidemment. Pierre me préssentait hà heux. Ch'afais fingt ans. Ch'étais très hintimidée. Che voulais faire bonne himpression tu fois. Ch'étais très cheune, très timide. Et, heffidemment, il y afait des huîtres. Et là, il est harrifé hune chosse, hincroyable. Hune chosse hincroyable !! Qui n'était chamais harrifé hà heux ni hà personne dans cette famille. Et ça ne m'est plus chamais harrifé depuis. Dans la première huître, Christine, que ch'ai prisse entre mes doigts, et que ch'ai misse dans ma bouche, ch'ai senti hun petit bout qui craquait sous ma dent. Che n'ossais pas le retirer. Afant de l'afaler. Pour ne pas havoir l'air mal hélefée. Tu comprends. Che ne foulais pas mettre les doigts dans ma bouche. Mais che l'ai fait quand même. Parce que che safais pas ce que c'était. Ch'étais très chénée, heffidemment. Eh bien... tu sais ce que c'était ?

— Non.

— C'était une perle Christine. Il y avait une perle dans cette huître ! Tu te rends compte ? C'est hincroyable, non ?

— Oui c'est rare.

— Une perle. Une perle grise. C'est hincroyable. Non ? C'était hun préssage magnifique. Tu ne troufes pas ? Il ne faut pas que che disse « tu ne troufes pas » defant Pierre. Il ne fa pas hêtre content. Hein, mon chéri ? Mais henfin, c'est hincroyable. N'est-ce pas ?

— Oui. C'est beau.

— D'ailleurs che l'ai gardée. Quand tu fiendras nous foir à Strasbourg, parce que tu fiendras ch'espère, che te la montrerai si tu feux.

Mon père s'est levé. Il y avait deux canapés blancs face à face. Il s'est assis et il a déplié son journal.

— Christine, che feux te dire quelque chosse, mais che sais pas si che fais osser.

167

Tu sais, parfois, che suis chenée. Car che me dis que ch'ai répété contre ta mère la fiolence que les Allemands ont fait aux Chuifs.

— Comment ça ?

— Parce que ché hépoussé ton père. Et que ta mère afait un enfant afec lui. Qu'elle hétait toute seule. Et qu'elle hétait si hamoureusse. Elle hétait très hamoureusse de lui, n'est-ce pas ?

— Je crois oui.

— Elle hétait très belle. N'est-ce pas ?

— En tout cas moi quand j'étais petite, et qu'elle venait me chercher à l'école, j'étais très fière.

— Ch'ai fu des photos. Elle hétait très belle. Che les ai gardées, ch'ai des photos de presque toutes les femmes que Pierre a connues avant moi. Ch'ai aussi des photos de Françoisse, de Brichitte... de Frida. Ta mère hétait la plus belle che crois. Elle doit hêtre très belle encore.

— Oui.

— Donc che te dissais, ch'ai hu l'impression que che refaissais cette fiolence à ta mère, qui était chuiffe. Cette humiliation. Que les Allemands ont fait aux chuifs. Ch'étais très mal à l'aisse.

Mon père a levé les yeux par-dessus son journal, il lui a fait un signe de réprobation. En inclinant la tête sur le côté. Elle a changé de sujet.

— Qu'est-ce que fous hallez faire demain ? Moi che rentre à Strasbourg. Mais fous ? Fous pourriez haller au Salon du Lifre ! C'est tout près. Fous poufez haller à pied. Ça peut hêtre hintéressant pour Christine.

Ma mère était à Paris ce week-end-là, on s'est rencontrés par hasard dans une allée du Grand Palais. Ils se sont dit bonjour. Elle était avec André. J'ai fait une remarque pour détendre l'atmosphère. Ils ont ri. Puis ils se sont dit au revoir. Ils ne se sont plus jamais revus.

De retour à Reims, je lui ai répété ce que la femme de mon père m'avait dit de sa culpabilité en tant qu'Allemande vis-à-vis d'elle qui était juive.

— Ah oui, elle t'a dit ça ?

— Oui oui. Elle a osé. Oui.

— Et sinon, elle est comment ?

— Taille moyenne, mince, blonde, les cheveux longs, lisses, un grand nez, des traits un peu coupés au couteau, pas très jolie mais pas mal. Mais bête. Vraiment bête.

— Elle a des beaux cheveux je crois...

— Sans plus. Elle a les cheveux blonds, fins, rien de spécial.

— Ton père m'avait dit qu'elle avait des très beaux cheveux.

— Oui, bof.

Et je lui ai raconté l'histoire de la perle dans l'huître.

De temps en temps, elle avait encore des passages mélancoliques. Parfois, des crises de larmes. Il lui arrivait d'exprimer des insatisfactions. Mais ça passait. Un nouveau cinéma a ouvert place d'Erlon, avec trois grandes salles. Le vendredi soir, elle y donnait rendez-vous à André, ils allaient voir un film puis dînaient au Continental. La population de Reims commençait à se diversifier. Ils avaient des amis. L'autoroute était en construction, un premier tronçon permettait de rejoindre Paris en une heure et demie. Les plages de la mer du Nord étaient accessibles en moins de trois heures.

Elle a vécu à Reims jusqu'à sa retraite. J'en suis partie à la fin de mes études. Et, avec la distance, la fréquence de nos rapports a changé.

J'étais à Nice les premières années. À l'aéroport, quand les portes des arrivées s'ouvraient, dès que je la voyais apparaître, je me jetais dans ses bras.

— Tu es magnifique maman.

On était émues de se retrouver. Mon dos était secoué de soubresauts, et je posais ma tête sur son épaule. Je sanglotais et on s'étreignait.

— Ne pleure pas, Christine, sinon tu vas me faire pleurer. On va pas pleurer quand même. C'est bien de se retrouver. C'est gai. Hein ? Dis !?

— Je t'aime maman tu sais.

— Moi aussi ma bichette.

Pendant quelques mois j'ai tenu un journal, et un jour dans l'avion de Nice à Paris j'ai écrit :

« … Maman et André seront à Orly et nous dînerons ensemble. Après, ce sera peut-être un peu dur de dormir dans l'appartement que mon père me prête rue Médéric, où je

170

n'ai pas que de bons souvenirs. Au contraire. Loin de là.

Atterrissage. Ça va. Je m'apprête à voir le visage de maman. Sa bouche, sa douceur, oui, c'est comme prévu. Maman, je t'aime.

Nous dînons ensemble. On est bien. Dehors il fait froid. André conduit, et nous tournons un peu pour trouver la rue Médéric dans la nuit. On se gare. Ils montent avec moi à l'appartement pour s'assurer que tout va bien. Maman s'inquiète de l'état des tuyaux et des odeurs de gaz, dans la cuisine et les toilettes. Ils repartent. Je ne suis pas si mal que ça. Ça va.

Minuit cinq, le téléphone sonne : mon père.

— J'appelle pour te souhaiter la bienvenue.

Il a toujours le mot pour rire. On raccroche, puis ça resonne. Il avait oublié de me parler d'un problème dans les toilettes, la raison de son premier appel.

Je téléphone à Claude pour que sa voix soit la dernière du jour. J'essaie de dormir. Pas facile. Trois heures du matin, je le rappelle :

— Chatounet je ne dors pas, j'ai peur.

— Mais non, tu verras tout va bien se passer.

Finalement je m'endors. »

Mon père et sa femme ont attendu que leurs enfants réussissent au bac pour les mettre au courant de mon existence. Ils ont souhaité me rencontrer. Le garçon passait ses vacances sur la Côte d'Azur, il m'a téléphoné. Et on a convenu d'un rendez-vous.

— Alors il est venu ?

— Oui.

— Comment ça s'est passé ?

J'ai laissé un blanc, puis j'ai dit :

— Ça s'est pas passé du tout. Il a sonné à l'interphone, mais j'ai pas ouvert.

— Comment ça ?

— Ben j'ai pas répondu. Il a sonné, mais j'ai pas répondu.

— Comment ça ? Mais vous aviez rendez-vous, il devait bien se douter que tu étais là.

— Oui.

— Et t'as pas ouvert ?

— Non...

— Tu lui as dit quelque chose à l'interphone ?

— J'ai pas répondu je te dis.

— Tu voulais plus le voir ?

— Je sais pas. J'ai pas pu répondre. C'est tout.

— T'as changé d'avis au dernier moment ?

— Je sais pas. Je peux pas le dire comme ça.

— T'as pas répondu, du tout !? Tu lui as rien dit, du tout !? Il a dû se demander. Il a dû resonner...

— Ah oui ça. Ça pour resonner. Il a resonné. Il a même beaucoup resonné. Il est resté en bas longtemps.

— Ah bon !?

— Ah oui, très longtemps.

— Il voulait te connaître lui, c'est dommage.

— C'est comme ça.

— Bon ben. C'est dommage. Mais si t'as pas pu répondre.

172

— Une première fois j'ai pas répondu. Il a attendu, et il a resonné. La deuxième fois j'ai pas répondu non plus. Il a resonné, j'ai toujours pas répondu. Etc. Ça a duré environ une heure comme ça. Avant de resonner il attendait, plus ou moins longtemps. J'avais peur qu'il monte à l'étage, et qu'il entende des bruits. Je bougeais pas. De tout l'après-midi, j'ai pas osé sortir. J'avais peur qu'il soit encore en bas. J'étais mal. J'avais le cœur qui battait. C'était horrible. Heureusement que Claude était là.

— Et lui qu'est-ce qu'il disait ?

— Rien. Il était avec moi.

— T'aurais dû répondre Christine quand même... Tu crois pas ?

— Tu comprends ce que ça veut dire quand je te dis que je pouvais pas ? J'étais tétanisée. Dans un état de panique. Tu comprends ?

— Bien sûr que je comprends.

— Il sonnait il sonnait il sonnait, comme une brute. À un moment il a gardé le doigt appuyé sur la sonnette pendant au moins cinq minutes. Dix minutes, je sais pas. Bien sûr qu'il savait que j'étais là. Mais il y a tellement de choses à côté de ça qu'il sait pas. C'était horrible cette espèce de driiiiiiiiiiiiing. Cette espèce de driiiiiiiiiiiiing-là qui s'arrêtait pas.

— Il y est pour rien lui tu sais.

— Il a donné un long coup à un moment. Il a gardé le doigt appuyé pendant... pfff, je sais pas, un quart d'heure peut-être... Enfin je sais pas, peut-être pas, en tout cas ça m'a paru très long.

— Il est resté en bas combien de temps ?

— Au moins une heure je te dis.

— Pauvre.

— Oh écoute je t'en prie, c'est pas possible. J'ai mal entendu. Tu peux pas me dire ça.

— C'est vrai Christine quand même.

— Plains-le.

— C'est pas ça... Mais lui il était là, il est venu, il avait envie de te voir, il est au courant de rien lui...

— Oui t'as raison. D'accord. C'est vrai. C'est lui qui est à plaindre. Non c'est vrai, c'est lui qui est un pauvre garçon. Pauvre garçon, pauvre petit garçon qui a passé une heure dans la rue et à qui on n'a pas répondu. Quelle injustice.

— C'est pas ce que je dis Christine. Vous auriez été peut-être contents de vous connaître. Tous les deux. Vous auriez pu avoir des choses à vous apporter. Non ?

— C'est un peu plus compliqué que ça tu vois... Il sonnait il sonnait il sonnait il sonnait et, plus il sonnait, moins je pouvais ouvrir moi de toute façon. C'était encore plus horrible pour moi que pour lui. Tu comprends ? J'aurais peut-être aimé, en effet, pouvoir lui ouvrir. Mais j'ai pas pu. Plus il sonnait, moins je pouvais de toute façon. C'est comme ça.

— C'est pas facile, c'est sûr. Mais qu'est-ce qu'il pouvait comprendre lui ? Il a pas dû comprendre ce qui se passait.

— Ben il a qu'à se renseigner.

— Ç'aurait été bien que tu ouvres, c'est tout ce que je dis. T'as pas pu. Et au bout d'un moment, c'était trop tard, mais...

— Tu es de quel côté là ? Tu es de mon côté, ou tu es du sien ? Je pouvais pas répondre.

— Je suis de ton côté Christine. Voyons. Tu le sais quand même. Hein ? Tu le sais. Bien sûr.

— Alors arrête de me dire des trucs qui me montrent que tu comprends pas. Essaye de comprendre. S'il te plaît. J'en ai besoin. Essaye d'être de mon côté. De l'être vraiment.

— J'ai pas besoin d'essayer Christine voyons, je le suis.

Il m'arrivait de lui raccrocher au nez. Elle rappelait. Je prenais l'appareil pour que ça arrête de sonner, et je le claquais sur le combiné. C'était moi, parfois, qui rappelais. On finissait toujours par se rappeler. L'une ou l'autre. Après avoir pleuré chacune de son côté. Et on se parlait calmement.

— Je t'aime maman.

— Moi aussi.

L'année où j'ai été enceinte, l'accouchement était prévu le 23 juillet. Claude faisait passer des examens, il serait absent tout le mois. Elle a loué un appartement à Nice. Quand j'ai perdu les eaux le 8, André et elle m'ont accompagnée à la clinique. On m'a installée dans une chambre, et elle est restée à côté de moi en attendant que Claude, qui avait été prévenu, fasse la route.

La ressemblance entre elle et ma fille m'a tout de suite frappée. J'ai glissé ma main dans le berceau, et je l'ai posée sur le bas du petit visage. Je me suis concentrée sur le front, le regard. C'était le même mélange de profondeur et de rayonnement.

— Elle a les mêmes yeux que toi maman.

Ensuite, j'ai vécu à Montpellier.

« Maman,

Je t'aime. Je pense à toi beaucoup, beaucoup, beaucoup. Ici nous sommes heureux, la vie est simple, douce, ça coule. Léonore est un trésor, et je crois, une petite fille extraordinaire, de gentillesse, de grâce, une reine. Depuis deux mois, j'essaye de faire un livre qui serait une longue lettre où je te parlerais. Ça me donne du mal. Je pleure souvent. Je ne sais pas ce que ça donnera, je n'en ferai peut-être rien. Je suis arrivée à un terme heureusement. Ça commençait à me faire souffrir de parler de toi, surtout de notre amour, de l'image que j'ai de toi, faite de souvenirs, d'attente, de tellement de bonheur. J'espère que tu continueras à m'aimer. Il le faut. Léonore me dit « maman », en fait elle dit « minmin », elle commence à dire papa, elle imite l'aboiement du chien et le miaou du chat quand nous en voyons. L'arrêt des médicaments me fatigue beaucoup, mais j'essaye de tenir. Quand je pense que l'année prochaine j'aurai trente-cinq ans ! Je suis vraiment au milieu de Léonore et toi. Il ne se passe pas un jour, pas une heure où je ne pense à toi.

Je t'embrasse très très fort,

Tu es ma maman,

Christine »

Elle a quitté la Caisse un peu avant l'âge de la retraite. Elle avait atteint le nombre d'années cotisées nécessaire. Elle se réjouissait à l'idée de se lever désormais à l'heure qui lui plairait. Ils ont déménagé à Montpellier. Elle s'occupait de sa petite-fille, et de nouveau on habitait la même ville. On se promenait, on faisait les magasins, on s'arrêtait à une terrasse. Il y avait plusieurs grandes places lumineuses, bordées de cafés, où le soleil tapait.

— J'ai envie de vivre autre chose, je peux pas continuer comme ça. On a une vie agréable mais. J'aime Claude. Mais, je crois pas que j'ai envie de rester avec lui. J'ai envie de vivre autre chose. Je peux pas continuer comme ça.

— C'est-à-dire tu peux pas continuer comme ça ?

— Je l'aime pas assez. Je l'aime beaucoup. Je l'aime, je l'aimerai toujours. Je l'aimerai toute ma vie sans doute. C'est même sûr. Mais je suis pas « amoureuse » de lui.

— Mais tu dis que tu l'aimeras toute ta vie. Qu'est-ce que t'appelles « être amoureux » ? Qu'est-ce que tu veux dire ? Vous êtes pas bien ?

— Si. Mais. Je sais pas... je suis pas amoureuse de lui. Je l'ai jamais été. C'est un être merveilleux, mais... voilà. C'est un être merveilleux, que j'aime, mais je suis pas amoureuse de lui. Voilà. C'est tout. J'y peux rien.

— Tu crois pas que ça peut être un passage ?

— Non je crois pas.

— Bon. Si tu es sûre...

— C'est fou qu'à chaque fois que je te dis quelque chose, ça peut jamais être pris comme une vérité. Jamais. Il faut toujours que ce soit un « passage », ou que ce soit relativisé d'une manière ou d'une autre. Je sais pas pourquoi je te parle en fait. Ça sert à quoi de te parler ? Faut toujours que tu rames en sens inverse.

— C'est pas ça Christine. Je m'inquiète pour toi. C'est tout. Il t'a tellement soutenue Claude. Même dans l'écriture. Est-ce que tu vas retrouver quelqu'un qui te comprendra aussi bien ? Qui te soutiendra autant, sur ce plan-là. C'est ça ! C'est ça moi aussi qui m'inquiète. Tu comprends ? Tu y as pensé ?

— Je veux plus être enfermée là-dedans. Quelle que soit la raison. Il y a qu'avec l'écriture justement que je suis vraiment heureuse. Ça peut pas durer. Je peux essayer d'avoir une vie… J'ai trente-huit ans. Je peux essayer. Et puis je supporte plus cette ville. Je supporte plus ces gens…

— Tu ne veux pas réfléchir encore un peu ? Il t'a toujours bien épaulée Claude. C'est quelqu'un de sincère, il t'aime. C'est quelqu'un de formidable Claude. C'est pas n'importe qui. Moi j'ai peur que tu retrouves pas quelqu'un qui te soutienne autant. C'est ça !…

— Arrête. Je t'en prie. C'est pas possible que tu me démoralises comme ça toujours.

— C'est pas mon intention Christine.

Mon père est mort. Il avait un Alzheimer. Je ne l'avais pas vu depuis dix ans. J'étais séparée de Claude depuis un an. J'ai appris son décès par un coup de fil de mon demi-frère. Le lendemain, je montais la rue de la Loge vers la place Jean-Jaurès, elle la descendait en sens inverse, vers la place de la Comédie. On s'est croisées.

— Ça va ?

— Non, pas très bien. Je m'y attendais pas maman tu vois, mais ça me fait quelque chose d'apprendre sa mort. Et toi ? Ça te fait quelque chose ?

— Non.

— Ça te fait rien ?

— Non.

— Rien du tout ?

— Non Christine, ça me fait rien.

— T'es pas triste ?

— Non. J'ai pas de chagrin.

— Du tout !?

— Non.

— Je comprends pas. J'en ai moi malgré tout. T'as pas de chagrin ? T'es pas triste du tout ? Tu ressens rien ?

— Non Christine.

— T'es contente ?

— Je suis ni contente ni pas contente.

— J'ai du mal à te comprendre. Moi, je sais plus très bien où j'en suis. Cette mort je l'attendais. Et même j'en rêvais. Maintenant elle est là. Je pensais que je serais contente, en fait je le suis pas. Enfin, je sais pas. Je me sens perdue. J'ai quand même pleuré. Toi non ? Tu l'as aimé quand même ! C'est quelqu'un que tu as aimé !

— Oui. Justement. J'ai tellement pleuré pour lui. Je crois que pour lui j'ai plus de larmes. J'avais déjà beaucoup pleuré avant.

— J'aimerais bien aller à l'enterrement. Mais pas toute seule. Et je vois pas avec qui je peux y aller. Personne m'a proposé de m'accompagner de toute façon. C'est trop dur seule. Je pourrai pas être au milieu de ces gens. Avant, j'en rêvais de cet enterrement. J'imaginais sa famille en train de pleurer, dans une église, et moi au fond, en train de les narguer, et de les suivre au cimetière, j'aurais peut-être dit quelque chose. Je l'attendais ce moment. Et puis finalement tu vois c'est plus compliqué. Je comprends pas que tu ressentes rien. Tu ressens rien !?... T'as aucun senti-ment ? Du tout ? Du tout du tout ? Positif, négatif, rien... Donc je suis vraiment toute seule quoi. Une fois de plus. Je traverse un truc dur là. Tu vois. Toute seule, comme d'ha-bitude. Bon écoute, je te remercie pas hein.

J'ai fait un pas en avant, pour la quitter, et continuer mon chemin. Elle m'a retenue.

— Écoute-moi bien Christine, je vais te dire quelque chose : si, même mort, ton père doit encore nous séparer, je ne suis pas d'accord.

— C'est n'importe quoi mais c'est n'im-porte quoi, tu penses vraiment qu'à toi. Il y avait personne pour me protéger quand j'ai rencontré mon père. Maintenant il y a per-sonne pour m'aider à vivre sa mort. Écoute. Nos relations sont foutues. Ok !? Au revoir. Là je rentre.

Dans les années qui ont suivi, j'ai commencé à lui attribuer mes échecs. Je l'accusais de ne pas s'être remise en question, de n'être restée en analyse que trois ans, d'avoir trouvé en mon père un coupable facile, de ne pas avoir réfléchi à sa propre responsabilité dans ce qui m'était arrivé. Je lui conseillais de ne pas s'étonner, par conséquent, de la difficulté dans laquelle sombrait notre relation. Je lui disais que j'étais la victime de leur égoïsme à tous les deux. Qu'ils étaient pareils sur ce plan-là. Uniquement préoccupés de leur regard l'un sur l'autre. Que la fameuse photo prise dans la campagne, dans la même position, en appui sur le même poteau, en témoignait. Qu'ils s'étaient pris chacun comme le miroir de l'autre. Que j'avais été sacrifiée à ça.

— Alors là tu vois, j'en peux plus. C'est trop dur. Ma vie est trop difficile.

— Ça va aller Christine, je comprends que tu puisses penser ça. Mais ça va aller. La vie peut être difficile, très difficile. Ça sera pas toujours comme ça. La vie change. Je t'assure. Tu verras. On croit que tout est bloqué des fois... Mais non. C'est pas vrai. On le croit, mais c'est faux. On a l'impression d'être dans un tunnel, on se dit qu'on va jamais en sortir. Je comprends que tu puisses voir les choses comme ça mais...

— Non, tu ne comprends pas.

— Sans doute je comprends pas exactement.

— C'est pas que tu comprends pas exactement c'est que tu comprends rien. Tu te rends pas compte de la difficulté. Tu me connais pas. Tu sais pas qui je suis.

— Pourquoi tu me secoues comme ça ?

— Je te dis la vérité c'est tout.

— J'ai sûrement eu des torts. Je ne le nie pas. Mais là je te dis rien de mal Christine !

Une chape de plomb était en suspension au-dessus de nos têtes, en permanence. La hauteur variait. Sa présence nous empêchait de respirer. Parfois elle s'abattait sur nous. On ne pouvait plus faire semblant.

L'intimité physique n'était plus possible. La promiscuité, le petit déjeuner, les habitudes alimentaires, la voir en robe de chambre, regarder le journal télévisé ensemble. C'était fini tout ça. Ça avait disparu. J'habitais Paris avec ma fille. Elle venait nous voir. Elle ne dormait à la maison que si j'étais absente, dès que je rentrais elle allait à l'hôtel. Pour éviter la cohabitation, les intrusions. La manipulation du linge sale, des serviettes, des draps, la vision des cotons démaquillants, celle des restes dans le frigidaire. On ne prenait aucun repas à l'intérieur. Un soir, pourtant, poussée par la culpabilité, je lui ai proposé de rester dîner. On a mis la table dans la cuisine. On a allumé le four, pour faire chauffer un gratin de pâtes et des assiettes de légumes, qu'elle avait préparés sachant que j'allais rentrer. Je ne sais plus d'où je venais, j'avais dû avoir quelque chose à faire dans une autre ville et elle était venue garder ma fille. Le couvert était mis. On s'est assises. Et on a commencé à se servir, tout d'un coup je me suis relevée :

— Pardon je peux pas supporter. C'est trop là pour moi. Pardon. Je suis fatiguée, pardon. Je ne peux pas. Pardon Léonore. Je suis désolée. Je peux pas continuer à bavarder comme ça, là, c'est pas possible. C'est pas possible pour moi. Faire semblant, tout ça je peux plus.

— On fait pas semblant Christine.

— Si. Si maman, on fait semblant. Moi en tout cas je fais semblant. Et ça m'épuise. On est dans le vide, on n'a rien à se dire. Je le supporte pas. Pardon Léonore. Moi aussi j'aurais bien aimé que ce soit possible, qu'on puisse dîner toutes les trois avec ta grand-mère, tranquillement. Ça ne l'est pas. C'est pas toujours facile tu sais les relations, même avec les gens qu'on aime. Tu étais contente de dîner ce soir avec ta grand-mère, je sais, et je te demande pardon ma biche, mais je peux pas. Excuse-moi mon poussin. J'ai besoin de me reposer. De me détendre. Je suis fatiguée ce soir. Je peux pas me forcer à avoir des discussions vides comme ça. Maman, tu peux venir avec moi s'il te plaît ?

Je suis sortie de la cuisine, elle s'est levée de table, et m'a rejointe dans le couloir. On a pris la direction de l'entrée. Une fois devant la porte :

— Tu veux bien partir maman s'il te plaît. Excuse-moi. Je peux pas faire autrement. Je suis désolée. Mais j'y arrive pas. Peut-être un jour ça ira mieux. Mais là je voudrais que tu partes. S'il te plaît.

— Bien sûr Christine.

— Je suis désolée.

— Sois pas désolée Christine y a pas de problème.

Son manteau était dans l'entrée, posé sur un banc. Elle l'a pris, et elle l'a enfilé. J'ai ouvert la porte. Elle est sortie sur le palier. Je suis restée sur le seuil le temps que l'ascenseur arrive.

— Excuse-moi maman.

— Ne t'excuse pas Christine. C'est pas grave. Tu vas te reposer. On se verra demain… Si tu veux. Comme tu voudras. T'inquiète pas. Repose-toi.

Elle réservait toujours une chambre dans un petit hôtel à côté de la place de Clichy. Arrivée en bas de l'immeuble, elle est partie dans cette direction. Sans même lever la tête pour voir si j'étais sur le balcon. Sa silhouette a disparu au coin de la rue. J'ai rejoint ma fille dans la cuisine.

On se donnait rendez-vous directement dans un café. Ou bien elle passait me chercher à la maison, et on sortait sans prendre le temps de s'asseoir dans le salon.

À peine arrivée, je cherchais la meilleure façon d'écourter. On ne se prenait plus dans les bras l'une de l'autre. On se faisait une bise sur chaque joue. On ne sanglotait plus en s'étreignant. Parfois André l'accompagnait. Elle avait une main sur son téléphone pendant qu'ils se promenaient. Si j'appelais, elle le sentait vibrer. Et si je lui disais que j'avais du temps, on se retrouvait. André retournait l'attendre à l'hôtel.

En général elle restait une semaine. On se voyait une fois au début, une fois au milieu, une fois à la fin.

Quand elle était de retour à Montpellier, je lui téléphonais. Parfois j'étais en larmes.

— J'ai qu'une envie c'est de me foutre en l'air.

— Dis pas ça ma Christine.

— Pourquoi je le dirais pas ? Tu penses que c'est pas vrai ? Tu crois qu'il y a pas de quoi ? Il y avait des choses à faire si tu voulais pas que j'en arrive là. T'as jamais rien fait pour essayer de comprendre ton rôle dans toute cette affaire. Regarde, j'arrive pas à avoir une relation amoureuse correcte. Tu penses qu'on peut s'en sortir en vivant ce que j'ai vécu ? Tu le penses vraiment ? Tu es consciente que c'est toi qui es centrale dans cette affaire ?... Et que tu t'es jamais remise en question toi. Tu comprends pas, tu comprends pas la place exorbitante que tu as dans ma vie, tu comprends pas que tu as envahi ma vie ?... Que je peux pas vivre la mienne. Que pour moi tout tourne tellement autour de toi que je n'arrête pas de te chercher. Depuis toujours. D'essayer d'être toi. Eh oui ! T'en es pas consciente hein de ça ? Je suis jamais allée vers des gens qui me plaisent à moi. Mais vers des gens qui t'ont plu à toi, ou qui t'auraient plu. J'ai jamais fait autrement qu'en fonction de toi. Et toi t'es là, tu te poses aucune question. Non mais je rêve.

— J'ai été voir un psychanalyste pendant trois ans Christine...

— Trois ans ! Non mais tu rigoles. Qu'est-ce que t'as le temps de comprendre en trois ans ?

— C'est peut-être pas très long mais... j'ai quand même compris certaines choses. Par exemple, quand Marc est venu me parler, et qu'après pendant la nuit j'ai fait cette infection...

— Oh arrête...

Elle estimait que l'infection des trompes, qui était survenue la nuit après que Marc lui avait parlé, avait été une forme de protection qu'elle m'avait accordée. Puisqu'elle avait été hospitalisée, et que j'avais dû rester à Reims, alors qu'il était prévu que j'aille voir mon père. Elle se repassait le film des étapes décisives. Elle avait peut-être eu tort d'écouter les conseils que prodiguait la société de l'époque. En matière d'égalité des droits, par exemple. Elle avait sûrement fait des erreurs. Elle avait sans doute manqué de lucidité. Elle s'était certainement déchargée de sa responsabilité à mon égard, quand j'avais rencontré mon père, estimant qu'elle le pouvait après toutes ces années.

— C'était sans doute très égoïste hein, mais je pense que ça a joué.

Elle parlait des semaines à l'avance de ce qu'on ferait quand elle reviendrait. Elle revenait. On se voyait comme deux étrangères qui n'ont rien à se dire. Les rencontres étaient formelles, sans vie, orientées sur des questions concrètes

— Je te dis que je peux. J'ai de l'argent que je n'utilise pas sur mon livret. Je peux très bien t'en donner. Ne t'inquiète pas. Dans mon esprit c'était prévu comme ça de toute façon. Tu as besoin d'une machine à laver non ? Bon ben je peux très bien te l'offrir. J'ai le droit de t'offrir une machine à laver non ?

Parfois, elle arrivait avec un cadeau. Ça tombait à côté. La couleur, la forme, la matière, le style. Il y avait toujours quelque chose qui n'allait pas.

— Tu peux échanger hein si ça te plaît pas. Je me suis renseignée, c'est possible.

L'hiver, elle m'offrait des chemises en laine et soie. Si ça ne me plaisait pas, ça me serait utile.

— Tu mets ça sous un pull ça protège bien du froid.

— Merci.

— C'est un peu comme si je t'entourais tu vois...

J'avais cessé de l'appeler maman. Ça s'était fait comme ça, tout seul, sans intention, sans décision. Peu à peu. Ça n'avait pas été prémédité. Au début, la fréquence du mot avait baissé. Comme s'il n'était plus nécessaire. Ensuite, il avait pris une tonalité gênante. Il était devenu bizarre, décalé. Puis il avait disparu. Totalement. Il m'était devenu impossible de le prononcer.

Elle, elle continuait de l'employer. À propos de ma grand-mère.

— J'ai peur de ne pas avoir été assez gentille avec maman.

— Pourquoi tu dis ça ?

Elle avait les larmes aux yeux. D'abord, un reflet dans le fond de l'œil, un vague liquide. Ça pouvait être une réaction de la cornée à une poussière. Ou une illusion de ma part.

— J'ai été un problème pour elle.

— En quoi tu as été un problème pour elle ?

— Parce que trop longtemps je suis restée attachée à ton père, trop longtemps j'y ai cru. J'étais malheureuse. Et je l'embêtais avec ça.

Ça devenait un bain de larmes. Elle avait les joues trempées. Son visage se mettait à grimacer.

Je disais « allô », tout de suite après je me plaignais. Ma fatigue, mon travail, ma solitude, le fait que je n'y arriverais jamais. J'appelais par obligation. Quand on avait raccroché, on ne savait pas quand on se rappellerait. Mais le prochain appel serait peut-être moins tendu.

Le jour de la fête des mères, en fin de matinée, son téléphone sonnait.

— Bonne fête.

— Merci ma bichette.

— Tu vas passer une bonne journée j'espère.

— On va essayer.

— Qu'est-ce que vous allez faire ?

— On va aller au cinéma je pense.

— Qu'est-ce que vous allez voir ?

À peine un sujet de conversation était-il lancé, j'avais envie de passer au suivant, ou de lui dire au revoir brutalement.

Parfois, je raccrochais d'un coup, sans lui laisser le temps de finir une phrase qu'elle avait en cours.

— Bon je t'embrasse à plus tard.

Dès le début du coup de fil, en général j'annonçais :

— Bon j'ai pas beaucoup de temps. Mais on peut se parler cinq minutes.

Elle ne m'appelait plus d'elle-même, elle avait peur de mal tomber. Sauf si un temps objectivement long s'était écoulé. Elle laissait un message sur mon répondeur. Elle parlait dans l'appareil d'une façon enjouée. Elle s'efforçait de mettre de la légèreté dans le ton, et de la gaieté dans la voix.

— Bon ben c'est moi...

Avant de raccrocher, elle faisait monter la note finale de sa phrase.

Pour me faire signe en étant sûre de ne pas me déranger, elle a pris l'habitude de m'envoyer des textos sur mon portable. Des mois passaient, sans que l'une entende la voix de l'autre.

Quand j'avais un rendez-vous, comme je suis souvent en avance, s'il me restait quelques minutes à tuer avant l'arrivée de la personne, je l'appelais.

— Je te dérange ?

— Non. Tu me déranges jamais.

Quand la personne arrivait, je l'expédiais, et je raccrochais contente d'être débarrassée de l'appel. C'était fait.

Si une émotion émergeait, ni l'une ni l'autre ne l'extériorisait. Comme s'il n'y avait rien. Il n'y avait presque plus de rire non plus. Quand on se retrouvait, elle était tendue. Elle essayait de dissimuler son inquiétude. Elle arrivait dans le café avec une fausse animation sur le visage. Et elle s'asseyait sur la banquette, raide.

— Alors ? Comment ça va ?

— Ben ça va. Et toi ?

Elle me donnait des nouvelles de Châteauroux, puis elle cherchait un nouveau sujet. Le temps ne passait pas. Il est arrivé que je l'interrompe brutalement :

— Parle-moi de ta judéité.

Elle se détendait. Son dos s'arrondissait enfin sur la banquette, ça semblait m'intéresser.

On était à la merci des ondes, de l'humeur, du moment, de l'ambiance, du sujet, et la fois suivante, tout se rejouait.

Mais, quand elle arrivait, il fallait la voir marcher vers la table. Elle avait le même sourire qu'avant, les mêmes yeux pétillants. Ça, ça n'avait pas changé.

— T'es magnifique.

Ce qui s'est passé ensuite a été une surprise.

Des sentiments très anciens, qu'on croyait perdus, qui dataient de sa jeunesse à elle et à moi de mon enfance, ont commencé à réapparaître. On ne s'y attendait pas. On ne les espérait plus. Ça s'est fait sans qu'on s'en rende compte. Au fil des années. Peu à peu. Les poches d'angoisse étaient toujours là. Elles pouvaient crever à tout instant. Tomber sur nous, pourrir l'atmosphère, le moment. Elles étaient devenues plus rares, moins puissantes. Au départ, il y a eu une circonstance. À partir de laquelle les choses se sont mises à rebasculer dans l'autre sens. Ça ne s'est pas présenté comme un changement au départ. Il y a eu une circonstance, une simple circonstance, qui a provoqué un glissement. Une toute petite différence. Un changement dans le ton d'abord. Quelque chose d'infime.

Une longue période sans contact venait de s'écouler, et je venais d'arriver pour deux semaines en vacances à l'étranger. J'ai décidé de lui envoyer un mail. Ce n'était pas dans nos habitudes. Puis, je suis allée dîner avec la personne qui m'accompagnait, Charly, qui partageait ma vie depuis plusieurs années. Elle m'a répondu le lendemain.

« Ton message m'a émue. Je voulais te dire que moi aussi je t'aime et je t'embrasse fort,

À bientôt ma Christine,

Maman »

On s'est écrit pendant toute la durée de ce séjour.

« Ça va, mais ce n'est pas facile. Il est devenu nécessaire que j'accompagne André dans ses moindres démarches, dentiste, courses... Cela me demande une attention et une présence constante. Il oublie le code de la Carte Bleue, les horaires. Il part, et il revient avec des choses complètement inutiles, ou indésirables. Ou il se perd, tout d'un coup il ne sait plus où il est.

Ça va, mais ça me demande une attention et une présence. C'est assez lourd. Ce n'est pas facile. Les choses sont stables. Mais comment te dire... J'ai l'impression que la vie se rétrécit, que les possibilités s'amenuisent.

Enfin, tant de gens vivent des choses plus graves que j'essaie de faire avec. C'est une nouvelle conception des choses.

Je suis très contente que tu viennes bientôt à Montpellier, en attendant je te souhaite une bonne continuation de séjour.

Mes amitiés à Charly.

Je t'embrasse,

Maman »

André prenait un traitement contre le cancer qui détruisait l'enveloppe protectrice des neurones. Certaines connexions ne se faisaient plus à l'intérieur du cerveau. Il oubliait d'une minute à l'autre ce qu'ils avaient fait, ce qu'ils s'étaient dit.

Je l'ai appelée le soir même.

« Christine,

Hier soir au téléphone, quand je t'ai dit que je me sentais seule depuis qu'André a ces problèmes, tu as dit : "On est seul." J'ai répondu : "C'est vrai, mais parfois on croit qu'on ne l'est pas." J'y ai repensé ce matin. Car tu m'as dit aussi : "Mais il est là." Ces simples paroles m'ont fait du bien. Il m'est apparu que, même quand on ressent la solitude, c'est souvent faux. Quelqu'un qu'on aime et qui vous aime, qui est là par sa présence ou sa parole, ça représente la vie. Bon, je raconte peut-être n'importe quoi, mais j'avais envie de te le dire.

J'espère que tu as pu te reposer et sortir. Pour nous, le temps ne s'y prête pas, aujourd'hui il a plu toute la journée.

Je t'embrasse bien fort,

Maman »

« Je viens de lire ton texto Christine. J'avais l'intention de répondre à ton mail bien sûr.

Je voulais le faire aujourd'hui. Il arrive que je n'ouvre pas mon ordinateur pendant plusieurs jours. Sois sûre que ma réponse un peu tardive est due, non pas à une indifférence, au contraire j'ai aimé ton mail, mais à un besoin, avant de te répondre, de reprendre mes esprits dans un univers plus propice que l'hôpital. Hier, j'y ai passé une grande partie de la journée, André avait rendez-vous pour un bilan dans un service du CHU. Ce service est spécialisé dans les problèmes le concernant. C'est un autre monde, peu agréable. Nous y retournons mercredi.

Ce soir, petit changement, nous allons au Corum écouter la 9ᵉ Symphonie de Beethoven, tu sais : PomPomPomPom...

Tu vois il y a encore de bons moments, heureusement.

J'espère que pour vous tout va bien.

Je pense à toi et te souhaite de belles journées dans votre bel environnement. Rien qu'à te lire ça donne envie. Profitez-en bien.

Je t'embrasse,

Maman »

« Effectivement, tu as raison, je m'étais fourvoyée dans les numéros, PomPomPomPom c'est bien la 5ᵉ de Beethoven. La 9ᵉ, *L'Hymne à la joie*, c'était magnifique hier, vraiment. Un moment de pur bonheur. Quand tu entends ça, tu sais que la beauté existe.

Aujourd'hui, c'est l'anniversaire de Didi, 74 ans. Je la revois petite, toute ronde et potelée, avec ses nattes en couronne. Comme le temps passe !

Tu me demandes de te parler de l'hôpital... Oui, c'est un autre monde. Un monde à part. L'endroit où nous allons est spécial. Il concerne uniquement les problèmes dits du vieillissement. Déjà, le mot n'a rien de sympa.

Tu y croises des gens qui marchent péniblement avec déambulateur, etc. Enfin, tu vois l'ambiance.

Mais je ne veux pas t'attrister aujourd'hui. Profite bien de tes dernières journées de soleil.

Je t'embrasse,

Maman »

« Je viens de recevoir un gentil message de Jean Dubois, qui signe : votre ami Jean. Cela m'a fait plaisir.

Maman »

« Tu me poses des questions difficiles, Christine. Est-ce que le désir d'enfant et les sentiments s'expliquent, je ne crois pas. On les vit.

Pourquoi suis-je restée attachée à ton père si longtemps ? Question que je peux me poser moi aussi. Je ne sais pas y répondre. Des raisons et des explications, il peut y en avoir de nombreuses : la vie à Châteauroux, le contexte social de l'époque, le manque de nouvelles rencontres intéressantes...

Je n'ai pas très envie de m'y attarder.

Je t'embrasse bien fort Christine,

Maman »

Quelques mois plus tard, elle est venue me voir à Paris. On s'est donné rendez-vous dans un restaurant. Il faisait très chaud et très beau. C'était l'été. La terrasse était bondée. La salle était vide. Je m'y suis installée. Au moment où elle est entrée, je me suis levée :

— Tu as l'air en forme, tu es magnifique.

— Pourtant j'ai mal dormi.

On s'est fait une bise sur chaque joue, et elle s'est assise face à moi.

— Ça va ?

— Oui ça va, mais alors notre chambre était glacée. Je ne sais pas comment ils ont réglé leur clim. J'ai eu tellement froid que j'ai dormi avec ma robe de chambre.

— Tu aurais dû téléphoner à la réception, râler.

— Oh non. Ils ont promis de la baisser cette nuit.

— Oui mais c'est pas normal, tu peux pas passer toute une nuit dans le froid, il faut que tu protestes. Tu as quatre-vingt-trois ans ! Et André quatre-vingt-dix ! Vous pouvez pas dormir dans le froid.

La serveuse est arrivée, on a commandé. On était seules face à face, dans la salle pratiquement vide.

— Ah, mais j'ai quelque chose à te montrer !

Elle a pris son sac, en a sorti une enveloppe, elle a fait glisser une photo, qu'elle a posée sur ma serviette.

J'ai baissé la tête.

— Ah ben non je la range alors !!

Je venais d'éclater en sanglots.

— Je veux pas que tu pleures.

D'un geste rapide et sec, elle a repris la photo.

— Remontre-la-moi s'il te plaît.

Elle l'a reposée devant moi.

C'était une photo d'elle avec un jeune homme. Il la tenait par l'épaule. Il regardait l'objectif. Avec un sourire incroyable. La photo avait été prise en été. Elle portait une robe légère en coton imprimé. Lui une chemise blanche rentrée à la va-vite dans le pantalon. On était frappé par le rayonnement du jeune homme. Son air de nager dans le bonheur. On se disait en regardant cette photo : « Ce n'est pas possible d'être plus heureux. »

De nouveau j'ai pleuré.

— C'est moi avec Charlie.

— Je sais. J'ai compris. Justement.

La serveuse apportait les plats. Elle a posé l'assiette de saumon devant moi, et l'autre assiette devant elle.

Elle a repris la photo. Elle l'a rangée dans son sac.

— Bonne dégustation mesdames.

On a remercié la serveuse. On s'est regardées. Nos plats ont commencé à refroidir sur la table.

— Tu veux savoir ce qui m'a fait pleurer ?

— Mais oui, bien sûr.

— Tu m'avais toujours dit en me parlant de Charlie qu'il ne te plaisait pas. Que c'était pour ça que tu avais rompu vos fiançailles. Et là je ne comprends pas. Je vois un jeune homme qui est magnifique, qui a un sourire incroyable, qui est d'une beauté... Mais d'une beauté... invraisemblable.

Ses yeux se sont mis à briller, elle a eu un petit sourire coquin :

— Tu croyais qu'il était moche ?

— Tu m'avais dit qu'il ne te plaisait pas, tu m'as toujours dit ça. Tu m'avais dit que tu n'aimais pas quand il t'embrassait. Et là, je vois cette photo, avec ce jeune homme, que je trouve magnifique. Je ne savais pas qu'il était si beau. Il était *très* beau Charlie.

— Il était surtout très gentil !

— Oui ça tu me l'as toujours dit. Mais tu ne m'avais pas dit qu'il était beau. Pas à ce point. Au contraire. Puisque tu m'avais dit qu'il ne te plaisait pas.

— Il serait allé me décrocher la lune...

— Je sais tu as toujours dit ça.

— Ah bon, c'est possible.

— Tu veux que je te dise ce que je pense ? Ce qui me fait de la peine ? Et qui explique pourquoi je pleure ? Et ce que je comprends là tout à coup en voyant la photo de Charlie ?

— Oui. Bien sûr Christine. Dis-moi.

— Tu attendais d'en rencontrer un méchant. Tu attendais mon père. Moi j'aurais préféré que ce soit ce jeune homme-là mon père.

J'ai caché mon visage dans ma serviette.

— Non... Pleure pas.

Elle avait eu des nouvelles de lui. Soixante ans après leur rupture il s'était mis à sa recherche. Il s'était marié, il avait eu des enfants, mais il ne l'avait jamais oubliée. Il avait toujours pensé que sa vie avait été plus ou moins ratée, qu'il aurait dû la passer avec elle. Il avait retrouvé sa trace. Et il lui avait

envoyé une lettre, avec son numéro de téléphone.

— Ça m'a fait drôle. Il a la voix d'un vieux
monsieur.

— Va le voir la prochaine fois que tu viens
à Paris. Il habite où ?

— Dans la banlieue sud je crois. Vers l'Es-
sonne. Par là.

Après le déjeuner on s'est promenées. Le
lendemain, on s'est revues au même endroit.

Les gens étaient en véranda ou en terrasse.
Il faisait encore très chaud. On s'est installées
à la même table que la veille. Dans la salle
presque déserte.

— Je voulais te parler de quelque chose
Christine. Tu sais, dans un de tes livres, à un
moment, dans *Le Marché des amants* je crois,
Bruno dit : « Elle est aveugle la dame ? »

— Oui.

— Sur le coup, ça m'a fait un choc quand
j'ai lu cette phrase. Et puis j'ai réfléchi. Et je
voulais te dire.

Elle a marqué une pause comme pour ava-
ler sa salive.

— Je voulais te dire : oui. Sans doute j'étais
aveugle. Crois bien que je le regrette. J'ai été
tellement aveugle, tellement. Tellement.

— Pleure pas. T'inquiète pas maman.

Il y a eu un silence assez long. Je regardais
son visage.

— Tu es quelqu'un de bien maman.

— Ça change quoi ?

— Ça change tout. Tout. Il faut juste
admettre qu'il y a des gens qui ne sont pas
des gens bien.

Une larme descendait sur sa joue. Une petite larme isolée.

— Tu sais moi aussi maman il y a des choses dont je suis pas fière. Pendant combien d'années je t'ai dénigrée !? Hein !? Pendant combien de temps j'ai joué le jeu de mon père ? Tu crois que j'en suis fière ? À partir du moment où je l'ai rencontré, je me suis mise à te dévaluer. Toi. À te dévaloriser. À te critiquer. Alors que je t'aimais tellement. Tellement maman. C'est nul. C'est nul. J'ai été nulle. C'est lamentable. J'ai honte aujourd'hui. J'ai honte d'avoir fait ça. De t'avoir déconsidérée. Pendant toute cette période, et si longtemps. Tu crois pas que je le regrette ? Tu crois pas que je m'en veux moi ? Quelle honte.

— C'était l'adolescence.

— Oui, ohh, tu parles. Tu crois vraiment que c'était que ça ?

— On disait beaucoup ça à l'époque. Il y avait tout un discours sur la crise d'adolescence, tout ça.

— À part dans mon enfance, où je t'adorais, j'ai l'impression d'avoir passé ma vie à te critiquer. Pardon maman.

— Sans doute que je provoquais ça. Peut-être même que je le recherchais. J'ai été tellement rejetée. D'ailleurs à ce propos, justement, enfin, c'est pas lié directement mais. Je voulais te dire que j'ai lu ton texte sur la honte, dans *Libération*. Et ce texte m'a beaucoup ébranlée. Je t'en ai pas parlé tout de suite. Parce que, ça m'a perturbée. Ça m'a rappelé des moments de grande pauvreté, que j'ai vécus.

— Quels moments ?

— Ben des moments, que j'ai connus. Des choses que j'ai ressenties il y a très longtemps. Mais qui marquent une vie je crois.

— À quels moments ça t'a fait penser ?

— Ohhff. C'est des choses anciennes. C'est pas très agréable d'y penser.

— Essaye de me dire.

— Je peux te donner un ou deux exemples, si tu veux, puisque ça a l'air de t'intéresser...

— Je veux bien oui.

— Bon, je te dis comme ça hein, dans le désordre... comme ça me vient...

— Oui.

— Eh bien la honte de la grande pauvreté, par exemple pour moi, c'est... je te dis au hasard hein...

— Oui oui.

— Avoir honte d'aller à l'école l'hiver avec des sandales d'été. Être gênée quand on regarde tes pieds. Avoir honte d'être très pauvrement vêtue. Avoir honte de voir la religieuse qui venait faire des piqûres à ma grand-mère donner un billet de cinq francs à maman, qui n'avait rien ce jour-là pour acheter à manger.

Elle parlait en me regardant.

— Accepter, et comprendre, car on te le demande, que le Père Noël n'a pas pu du tout penser à toi. Voir maman partir aux bureaux de la Gestapo, au moment de leur proche départ, pour se faire régler une petite note de repassage restée impayée. Elle qui était si craintive était revenue avec son argent. Je me souviens comme elle était fière d'avoir osé y aller.

Elle a regardé par la baie vitrée, comme si ma grand-mère était en train de passer.

— Ça te dérange maman si je note ce que tu es en train de dire ?

— Non. Ça me dérange pas. Et il y a autre chose Christine que je voulais te dire.

— À propos de la honte ?

— Oui.

— Quoi ?

— Tu as toujours cru que je tenais pour peu de chose l'environnement peu agréable de la zup, et plus tard celui des Chatillons. Tu te trompes. C'était très difficile. En même temps, ça représentait une certaine sécurité. Une petite aisance, qui montrait son nez peu à peu. Je désirais tellement fort une meilleure vie pour toi, la possibilité d'études, un autre cadre de vie.

Elle tournait sa bague autour de son doigt. Une bague de sept anneaux entremêlés qu'André lui avait offerte quand ils s'étaient mariés. Et elle promenait son regard, de la baie vitrée à mon visage.

— Aujourd'hui, tu vois, j'ai pas de soucis de fin de mois. Et pourtant.

Un serveur est venu, et nous a demandé si on voulait un dessert. On a dit non. Il est reparti.

— Et pourtant ?

— Et pourtant, oui. Si je te disais qu'il m'arrive de repenser avec regret à la zup… Ou aux Chatillons… Et même à ces jours, où

je faisais mes comptes, et où tu me disais :
« Tu en fais des choses intéressantes toi
maman ! »

— Je te disais ça ?

— Oui. Tu me disais ça. Tu étais mignonne
tu sais. J'avais une mignonne petite fille. Et
on était bien. J'arrive pas à te dire les choses
exactement comme je voudrais. C'est difficile
quelquefois d'exprimer certains sentiments.
J'aimerais tellement pouvoir exprimer ce que
je ressens. Mais les choses intimes sont les
plus difficiles à exprimer.

— C'est vrai.

— Je me souviens d'une année vécue à la
zup, qui a été particulièrement belle. Celle de
tes dix ans. Ça a été une année vraiment heureuse. C'était l'après-68. Il y avait eu un vent
de liberté. Toi tu étais contente. Tu étais fière
d'avoir deux chiffres à ton âge. Moi j'avais
trouvé à Gireugne un entourage professionnel
qui me convenait. Tu avais ton école, tes amies.
Tout était bien. C'était une période calme. On
s'aimait, on était bien ensemble, on riait bien.
Tu me disais : « T'es gaie toi maman. »

— Je sais. Je m'en souviens.

— Ç'a été une très belle année cette année-
là. On est parties en vacances pour la première fois depuis longtemps. À Kerpape.

— C'est là que j'avais rencontré une petite
fille qui s'appelait Christelle ?

— Je me souviens pas de son prénom.
Mais tu avais rencontré une petite fille de ton
âge, oui. Une petite Belge. Ç'avait été de très
bonnes vacances. Il n'y avait rien eu de particulier. Mais de la douceur.

Elle avait les larmes aux yeux. Elle a essuyé le coin de son œil, puis elle a regardé la petite larme au bout de son doigt.

— Maintenant j'ai une autre vie. Je suis peut-être même une autre personne. Mais, j'ai toujours gardé en moi le souvenir de cette année de tes dix ans. Il y avait rien d'extraordinaire pourtant. Et les choses n'étaient pas plus faciles. Enfin voilà !... C'est tout ça, tu vois, que ton texte sur la honte a remué. C'est des petites choses. C'est rien. Voilà ! C'était une petite plongée dans le passé.

— On pourrait s'écrire maman quand tu vas rentrer à Montpellier... Qu'est-ce que tu en penserais ?

— Ce serait tellement bien. J'aimerais bien qu'on ait une régularité d'échanges de ce genre. Ça me paraîtrait peut-être moins artificiel qu'une conversation téléphonique rapide. Enfin, ça dépend...

Devant le restaurant, il y avait une grande place, ou plutôt un grand carrefour, traversé par deux grands boulevards et des rues en diagonale. Une Traction est passée.

— Regarde maman.

— Ah oui, tiens, une Traction.

On l'a suivie du regard.

— Je me souviens, quand j'étais petite, on en voyait encore.

— Tu sais... parfois quand je pense au passé, je me demande où tout ce monde est parti. Et s'il a vraiment existé. Je me dis : « Mais où est ce monde que j'ai connu ? »

— On s'aimait beaucoup maman.

— On n'avait que ça !

Elle s'est tue.

Puis j'ai dit :

— Tu as toujours ton collier en pierre de lune ?

— En pierre de lune ? J'avais un collier en pierre de lune moi ? Non. Je crois pas. Tu te trompes. J'ai jamais eu de collier en pierre de lune.

— Mais si voyons. Tu sais, c'était un long collier avec des pierres bleu-vert, trans-lucides, ovales.

— Ah oui ! Je vois ce que tu veux dire. Je l'avais oublié tu vois ce collier. J'avais un hippocampe aussi, avec des beaux yeux verts. Que ton père m'avait offert. Mais je l'ai jeté, après une visite à Châteauroux, où il m'avait annoncé qu'il était marié.

— Je peux te poser une question qui n'a rien à voir ?

— Bien sûr.

— Il parlait des Juifs quelquefois ?

— Oui. C'était pas très positif.

— Qu'est-ce qu'il disait ?

— Des petits trucs comme ça en passant. C'étaient jamais des longs discours, un mot par-ci, une phrase par-là.

— Quoi par exemple ?

— Des petites choses. J'essayais de pas faire attention.

— Il savait que tu étais juive ?

— Bien sûr.

— Donne-moi un exemple.

— Ohff, je sais pas. Tu sais je...

204

— Même un seul. Tu te souviens bien de quelque chose.

— ... il les trouvait intelligents, mais il fallait faire attention, s'en méfier. C'étaient des gens qui voulaient obtenir des choses. Il fallait rester prudent. C'étaient des propos comme ça, qui tombaient. Et, il était contre Israël. Je me souviens, j'ai encore une phrase dans la tête : « Prendre un pays comme ça ! »

— Mmhh...

— Il disait ça sur un ton choqué. Le ton de celui qui trouve que c'est pas correct. « Prendre un pays comme ça ! » Je me souviens. Je me souviens bien. « Prendre un pays comme ça ! » Il disait ça.

— Devant toi !? Sans prendre de précaution !?...

— C'était jamais dit directement à mon propos. C'était dit comme ça, en passant.

— Ça te blessait ?

— Ça me blessait un peu, oui. Je disais rien. Je répondais pas.

— Mmhh. Je comprends.

— J'en rajoutais pas.

— T'approfondissais pas...

— Non j'approfondissais pas. J'avais pas envie. J'avais pas envie d'approfondir je crois. Alors je relevais pas.

— Je comprends.

— Si tu relèves, ça te blesse encore plus profondément.

— C'est sûr. Je comprends. Je crois que je comprends ce que tu veux dire.

Le lendemain, on s'est retrouvées au même endroit. Toute la semaine on s'est vues dans ce café. À la même table. À l'intérieur, pas loin de la porte. Pour être proches des courants d'air. Il faisait très chaud. On est restées chaque jour au moins trois heures. Les gens faisaient la queue pour la véranda ou la terrasse, la salle était toujours aussi vide.

— Est-ce que je peux te poser une question ?

— Bien sûr Christine.

— Pourquoi tu n'as rien vu ?

— Je peux te dire que toute ma vie je le regretterai.

— Rétrospectivement, tu as compris pourquoi ?

— J'avais perdu confiance en nous.

— C'est-à-dire ?

Ses mains étaient posées à plat sur la table. Belles, la peau claire, les doigts fins, les jointures peut-être un peu gonflées par l'âge, les ongles limés en arrondi et discrètement vernis.

— Après avoir vu ton père, quand tu rentrais à la maison, t'étais mal. Et je pensais que c'était parce que tu me retrouvais. J'avais perdu confiance en notre affection. J'ai été aveuglée par ça. J'avais perdu confiance. En toi. En nous. En notre affection. Ça m'a aveuglée. Et je peux te dire que, jusqu'au bout de ma vie, Christine, je le regretterai. Je me disais c'est normal elle en a marre de sa mère. J'avais une perte de confiance totale. En nous. En notre relation. En toi. Je me disais elle découvre quelque chose de plus gratifiant. J'imaginais pas qu'il puisse y avoir une autre raison à ton état. Je pensais que

206

tu étais mal parce que tu n'avais pas envie de me voir, de me retrouver moi. Parce que tu ne m'aimais plus.

— Vraiment ?

— Oui.

— Vraiment tu pensais ça ?

— Oui. Vraiment. C'était aussi un manque de confiance en moi. Bien sûr. J'avais été rejetée par mon père, j'avais été rejetée par le tien. Je trouvais normal que tu me rejettes. Par rapport à ton père j'étais moins instruite, moins intelligente, socialement moins bien. Je pensais que ton choix était fait. Ça me paraissait logique. Pour moi c'était normal.

— Pourquoi tu ne m'as rien dit quand Marc t'a appris ce qui se passait ? Et après, quand tu es rentrée de l'hôpital tu m'as rien dit.

Il y a eu quelques secondes de silence. Une minute.

— Je ne guérirai jamais, jusqu'à ma mort, de ne rien avoir dit, de ne rien avoir fait, de ne rien avoir vu. Quel aveuglement ! Mon Dieu. Quel aveuglement !

— Mais tu sais maman je crois qu'il y a une logique dans tout ça.

Je me suis remise à l'appeler maman au cours de cette semaine-là. Et même, à utiliser le mot sans nécessité. Pour l'avoir dans la bouche. Et le faire resonner à son oreille comme une petite clochette enfin réparée.

— ... Il y a une logique maman, il y a une logique dans tout ça. Il y a une logique de fer. C'est pas une petite histoire personnelle tu comprends, c'est pas une histoire privée.

Non. C'est pas ça qu'on appelle la vie privée. Là c'est l'organisation de la société qui est en jeu, à travers ce qui nous est arrivé. La sélection des gens entre eux. C'est pas l'histoire d'une petite bonne femme, aveuglée et qui perd confiance, c'est pas l'histoire d'une idiote, non. C'est bien plus que ça. Car pourquoi elle perd confiance ? Tu as raison de dire que tu as été rejetée. C'est une vaste entreprise de rejet. Social, pensé, voulu. Organisé. Et admis. Par tout le monde. Toute cette histoire c'est ça. Et jusqu'à la fin. Y compris avec ce qu'il m'a fait à moi. C'est quelque chose qu'il t'a fait à toi aussi, avant tout. C'est la continuation de ce rejet. Pour humilier quelqu'un, le mieux c'est de lui faire honte, tu le sais. Et qu'est-ce qui pouvait te rendre plus honteuse que ça, que de devenir, en plus de tout le reste, alors même que tu pensais être sortie du tunnel, la mère d'une fille à qui son père fait ça ? Tu as été rejetée en raison de ton identité maman. Pas en raison de l'être humain que tu étais. Pas de qui tu étais toi. Pas de la personne que tu étais. Et ce rejet allait jusqu'à faire ça à ta fille. Ç'a été jusque-là. Ç'a été loin. Tout ça s'inscrivait dans une même logique. Et il a fallu que la logique soit poussée jusqu'au bout. Puisque tu as essayé de la contrer. Tu ne devais pas sortir de ton tunnel. Tu pouvais juste rêver d'en sortir. Quelqu'un comme toi devait rester dans la voie sans issue. À l'intérieur du tunnel, là où on voit rien justement.

— Je comprends pas bien ce que tu veux dire Christine.

— Tu veux que je te dise vraiment comment je vois les choses ? Je suis sûre de ce que je dis. Tu peux ne pas être d'accord. Mais moi je suis sûre. Vous apparteniez à deux mondes différents, étrangers l'un à l'autre, en tout cas c'est comme ça que les choses ont été posées dès le départ. Et tu as accepté qu'elles soient posées comme ça. Parce que tu étais seule, parce que tu étais pauvre, parce que tu étais juive.

— Hmm.

— Et sans personne pour te protéger.

— Ça c'est sûr.

— Et tu étais belle. Différente des autres.

— Oui ohff...

— Si. C'est important. Ça compte. Peut-être que tu t'es crue plus forte. Or, il t'avait prévenue depuis le début, tu pouvais, certes, être en contact avec lui, mais uniquement lui, sa personne, sa personne privée. Il n'était pas question que tu sois en contact avec sa personne sociale. C'est-à-dire son milieu, son identité. Il n'était pas question que vos deux identités se rejoignent. Elles ne devaient pas être en contact. Il te faisait des compliments sur toi, certes, mais en prenant soin de dénigrer, en même temps, les traces sociales accrochées à toi par la culture et le langage. Il te faisait des compliments sur toi, mais de haut, en observant ton niveau, en restant très au-dessus.

— Ah ça il s'estimait très au-dessus de moi. Il s'estimait au-dessus de beaucoup de monde d'ailleurs, lui, son père, sa famille, tu comprends, c'était pas n'importe qui, il me le faisait bien comprendre.

— Il t'a fait comprendre aussi qu'il avait une vue générale de la société, et que toi tu ne l'avais pas cette vue. Puisque lui appartenait à un monde supérieur au tien.

— Sur le plan social, de toute façon, c'était vrai.

— Oui, bon, bref. Et, comme son monde était supérieur au tien, sur plusieurs plans, selon leur classification, pas seulement sur le plan de l'argent, mais aussi comme ils disent de la « race », je te le rappelle, on n'en parle jamais mais pour eux ça compte, ça existe, il ne pouvait pas y avoir de conséquences sociales entre vous. Le but était de te faire perdre. Vous pouviez avoir une relation, mais à condition de respecter certaines règles, qui garantissaient que tu n'infiltrerais pas son monde. Qu'il y aurait des limites. La séparation de vos deux mondes devait être établie, et la supériorité du sien devait être maintenue, bien au-dessus. Il ne fallait pas qu'il y ait de fusion. Donc, évidemment, il ne t'épouserait pas. Ça c'est la base. Et il ne te présenterait pas à son entourage. C'est pour ça, tu pouvais venir à Paris, mais dans une petite chambre. T'avais pas droit au déjeuner boulevard Pereire, ni aux huîtres en famille. Avoir un enfant était possible, à condition que ça ne change rien à l'ordre, et qu'il ne me reconnaisse pas. C'est pas une histoire privée ça tu comprends. C'est pas un arrangement personnel, c'est un arrangement social, auquel tout le monde participe, y compris toi. C'est l'histoire du rejet social. Et de la sélection. Avec l'enfant, ça rendait l'exercice plus périlleux, donc plus intéressant pour lui, plus excitant. Quand il y a une crise, et qu'une valeur résiste, ça veut dire que la valeur est sûre. Comme l'immobilier à Paris après la crise de 2008. Tu comprends ? Il a résisté. Eh ben eux pareil, ils ont résisté, pourtant il y avait histoire d'amour et enfant désiré. C'est fort. Ils sont forts. Tu approches quelqu'un tout près du but qu'il atteindra jamais, et au dernier moment tu le mets K.O. En lui disant, avec ton pied sur sa poitrine, que tu lui avais dit depuis le début qu'il ne pouvait pas gagner. Que c'est lui qui a voulu se mettre en compétition. Tu lui rappelles, au dernier moment, qu'il est qu'une merde. Vous pouviez avoir un enfant, certes, un homme et une femme peuvent avoir enfant, et s'aimer même en principe pas de problème. Mais ça ne vous rapprocherait pas. Il t'a prévenue, il ne me reconnaîtrait pas. Avoir un enfant avec toi c'était comme un test de solidité si tu veux. Ça l'intéressait. Je vais faire un enfant avec elle, mais au lieu de la hisser je vais l'enfoncer. Je peux très bien lui faire un enfant puisque socialement ça sera pas mon enfant. Elle croit qu'elle a tiré le gros lot, que ça va la faire changer de sphère, et monter deux-trois barreaux d'échelle, alors que ça va la faire descendre. Et moi, ça changera rien, je serai toujours en haut. Parce que je suis en haut de droit, par nature. Toucher la limite ça permet de la vérifier. Ça les excite. Avoir un enfant, dans ces conditions-là, permettait de vérifier à quel point vous étiez de deux catégories séparées. Ça ne changerait rien. Il pouvait très bien avoir un enfant avec toi, et rester supérieur, très au-dessus dans son monde. Au contraire même, il recevrait une confirmation de cette supériorité. Comme un champion du monde qui remet son titre en jeu, mais qui sait que le match est truqué, que l'adversaire sera disqualifié. Parce qu'il fait pas le poids, qu'il peut pas concourir. Ça lui permettra de l'humilier en public, et de lui faire passer le goût de la compétition. En face il y a qui ? Il a quelqu'un, toi, qui croit qu'il a rien à perdre. Alors que si. Tu savais pas, mais tu avais plein de choses à perdre. La confiance. Le sentiment de valoir quelque chose.

— Dès que je lui ai annoncé que j'étais enceinte d'ailleurs, il est parti en vacances. Il a pas changé ses projets.

— Ça faisait partie de la logique. Sans aucune culpabilité. Avec le sentiment de t'avoir toujours bien notifié les règles.

— Sur le moment j'ai trouvé ça normal. Enfin... Je voulais pas me poser la question. Et son entourage était d'accord avec lui. Son père avait pas l'air gêné par la situation. Quand je suis allée le voir, j'étais un détail. Et la réaction de sa mère aussi. Qu'il m'avait rapportée. « Méfie-toi, elle lui avait dit, elle veut mettre la main sur un fils de famille. »

— Voilà. C'est ça. Et après ma naissance il a continué sa route sans dévier. Vous deviez rester séparés socialement et cette séparation primait toutes les autres considérations.

— Sans doute.

— Et lui, toujours avec la conviction d'avoir été clair, honnête et franc avec toi.

— Ah oui, ça, il s'est jamais rien reproché.

— Ces gens-là ils se reprochent jamais rien. Il t'avait bien dit que c'était une voie sans issue. Tu l'empruntais à tes risques et périls sachant qu'elle ne débouchait pas. Tu pouvais la visiter, t'y promener. Mais tôt ou tard tu devrais retourner sur tes pas.

— Et c'est ce que j'ai fait d'ailleurs.

— Ben oui, puisqu'il te l'avait annoncé dès le début, comme un panneau à l'entrée.

— Et au fur et à mesure qu'on était ensemble, il me faisait constater tous les signes qui prouvaient sa supériorité, et que moi j'étais moins bien. Il avait d'ailleurs eu la franchise, je te l'ai peut-être déjà dit, de m'avouer que si j'avais eu de l'argent ça se serait passé autrement, il m'avait dit « si t'avais été riche j'aurais peut-être réfléchi ».

— Voilà. Et toi tu as trouvé ça normal. Donc, tu as fini par admettre qu'il te rejette.

— C'était pas facile. Ça a été dur, parce que je l'aimais.

— Mais pourquoi tu l'aimais maman ?

— Je l'aimais. Est-ce qu'on sait pourquoi on aime ? Je peux pas te dire pourquoi. C'était comme ça. À partir du moment où il était entré dans ma vie… je le voyais pas en sortir. Il avait changé ma vie. Je pouvais plus la voir sans lui. Quand j'ai compris qu'il allait en sortir, j'ai été bien obligée pourtant. Et, là, j'ai compris que ça pouvait pas se passer autrement. C'était presque... comment dire... pas normal, mais... C'était dans l'ordre des choses. Et j'ai admis qu'il me rejette. Ç'a été dur. Mais c'était que du chagrin. Et ce chagrin a fini par passer. J'avais lu une phrase de Proust, dans *Le Temps retrouvé* je crois, sur le fait que le chagrin est ce qui passe le plus vite, il le dit mieux que moi évidemment. Je la chercherai. Je l'avais recopiée, je l'avais mise dans mon portefeuille, faut que je regarde si elle y est toujours.

— Et là où la chose s'est compliquée, c'est avec la mention « née de père inconnu » sur mon acte de naissance. Parce que, ça, t'as pas pu supporter. Tu voulais bien admettre que tu étais rejetée, mais tu n'as pas admis que je le sois aussi.

— Je pouvais pas. Je voyais pas pourquoi. Je trouvais ça injuste. Faux.

— Peut-être, mais ça faisait partie du programme. Si je portais son nom, et si j'étais reconnue, il y avait plus de séparation. Entre vos deux milieux. Entre vous. Or il était missionné pour que ça reste parfaitement étanche. Et t'enfoncer. Parce qu'il y a tout son milieu hein qui lui tient la main et qui l'épaule. Mais toi, tu t'es entêtée. En t'appuyant sur des dispositions juridiques. T'as voulu que cette mention disparaisse et que soit inscrit sur le livret de famille qu'il était mon père. Et que j'appartenais, donc, pour moitié, à son milieu.

— Oui puisque c'était la vérité.

— Tu sais pas que ces gens-là ils en ont rien à faire de la vérité. Absolument rien.

— Tu crois ?

— Oui. Rien du tout. C'est pas leur problème. La vérité c'est ce qu'ils décrètent. C'est pas ce qui est.

— C'est possible.

— Tu as dépensé des années d'énergie, ç'a été long, tu t'y es reprise à plusieurs fois. Et tu as pensé que ç'avait été utile, puisqu'il a fini, après la mort de son père, par te promettre de me reconnaître.

— Au dernier moment, il a refait un pas en arrière. Il a fallu que je reprenne tous mes arguments depuis le début, et que de nouveau je le convainque.

— Voilà. Finalement, tu le convaincs. Bon. Et vous allez au bureau d'état civil de la mairie de Châteauroux. Mon état civil change. Enfin. Ça y est. Et je suis reconnue comme sa fille.

— Tu étais sa fille de toute façon. Tu es sa fille.

— Voilà. Sauf que c'était contraire à la logique de leur camp. Contraire à ce qu'ils veulent. Donc qu'est-ce qu'il pouvait faire ? Eh bien, il a trouvé. Il a ignoré l'interdit fondamental pour les ascendants d'avoir des relations sexuelles avec leur enfant. C'était peut-être un interdit fondamental, mais ça ne le concernait pas. Pas lui. Comme s'il n'était pas mon père et que je n'étais pas son enfant. Il était au-dessus de ça, au-dessus de toi, de nous, et des règles sociales d'une manière générale. Y compris de la règle sociale fondamentale, donc très très au-dessus. Ne pas reconnaître un interdit qui s'applique à tous, c'est la distinction suprême. Tu comprends ! Quelle classe ! Et pour lui, ç'a été la façon ultime, imparable, d'annuler la reconnaissance. Ça va bien au-delà de la prise de sang. C'était la négation automatique. Changement de point de vue. L'interdit fondamental, là, c'est plus celui des relations sexuelles entre ascendants et descendants, mais celui de la mésalliance. Comme ça il y avait toujours d'un côté toi, et de l'autre lui. Puisque c'était ça, qu'il fallait préserver à tout prix, c'était ça pour eux la règle fondamentale. Lui, dans son monde supérieur. Et toi dans ton monde inférieur. Avec en plus, pour toi, dans ce monde inférieur, pour t'inférioriser encore un peu plus, te faire tomber dans le bas du bas du plus bas des bas-fonds, en prime, ta fille, violée par son père, et toi la mère qui voit rien, l'imbécile, la conne, l'idiote, la complice même va savoir. Tu descends encore de quelques degrés sur l'échelle de la respectabilité, là de toute façon il y a pas plus bas. Il y a pas plus bas que ça. Je suis sûre que c'est ça maman.

— Peut-être. Mais enfin il s'est rendu coupable de quelque chose de très grave quand même.

— Parce que tu penses qu'un interdit, fût-il fondamental, allait le mettre au ban de sa petite société ? Alors qu'il est convaincu de sa supériorité ? Et qu'ils le sont aussi. Non. Donc il transgresse cet interdit pour te faire comprendre, *in extremis*, puisque tu t'obstines à lui mettre sous le nez que je suis sa fille, que ça ne marche pas comme ça, pas chez eux, il te fait descendre d'un cran de plus. C'est toi qui baisses. Dans leur monde on n'a pas d'enfant avec une juive, surtout si elle a pas d'argent et qu'il n'y a rien à obtenir d'elle. À part son cul. Excuse-moi. Je parle jamais comme ça, c'est pas mon langage, tu le sais. Lui il reste stable, et il assure son rang, et toi tu descends. Dans leur logique, les points que tu as marqués ne sont pas reconnus. Tous tes petits points juridiques là. Ta sortie de tunnel, eh bien elle débouche sur rien. C'est des points annulables, négatifs, chaque fois que tu as avancé un pion sur l'échiquier, il a trouvé un moyen pour te faire reculer. Et ce qu'il a fait avec moi est le dernier moyen qu'il a trouvé, en fin de course, pour te claquer la porte au nez, et en donnant en prime un tour de clé supplémentaire dans la serrure. Sur le plan tactique, c'est un coup magistral. C'est un coup de maître. C'est une apothéose. Et c'est un coup définitif. Après ça il y a rien à faire. Faire un procès ? Ça fait pas le poids. Il y a rien de plus simple pour un type comme lui que de nier. De jouer les diffamés. L'atteinte à la vie privée, les mecs atteints. Les négationnistes assumés. D'ailleurs tu as rien fait. T'as pas porté plainte, t'as rien dit, t'as rien fait.

— J'ai fait cette infection, et j'ai été hospitalisée...

— C'était quoi comme infection ?

— C'était une infection des trompes.

— Comme par hasard. Des trompes. Tu venais d'être détrompée. Hhhh !!

— Ah. Tu vois ça comme ça !?

— Oui.

— En tout cas, j'étais à l'hôpital, et ce week-end-là, du coup tu es pas allée voir ton père à Paris, parce que je venais d'être hospitalisée...

— Je sais ça, tu m'as toujours dit ça. M'enfin ça remplace pas une parole de se faire une infection et d'aller à l'hôpital. Ç'aurait été mieux si tu avais pu me dire quelque chose.

— Sans doute que je pouvais pas faire autrement.

— C'est pas grave maman.

J'ai posé mes mains sur les siennes. On est restées comme ça un long moment. Sans rien dire, de chaque côté de la table. Ses mains étaient chaudes.

— Ça va ? C'est pas trop dur maman cette conversation ? De toute façon, on s'en est sorties autrement. Et notre vie est pas finie. Tu es belle tu sais maman. Tu es toujours magnifique.

— C'est gentil.

— Non. C'est vrai.

— Tu me vois à travers tes yeux...

— Je te sens tendue. Tu l'es ? C'est peut-être tous ces sujets auxquels tu n'as pas envie de penser.

— C'est pas seulement ça. C'est que... Tu vois... Comment te dire. J'aurais bien voulu garder intact le souvenir des bons moments, que j'ai eus avec lui. On a eu de très bons moments. On a passé des bons moments, tu sais, tous les deux. On a eu des moments merveilleux. Vraiment. On a eu des moments...

Vraiment des beaux moments. Un week-end dans la Creuse. Une merveilleuse semaine à Beaulieu-sur-Mer. Mais, avec ce qui s'est passé après avec toi, ç'a pas été possible de les garder comme des souvenirs heureux. J'aurais voulu. Mais voilà. C'est comme ça. Et, à partir du moment où je pouvais plus garder le souvenir des très bons moments qu'on a eus, j'ai préféré ne plus penser du tout à lui, ni à ce qu'on avait vécu. On en a eu des bons moments. Des très bons moments. Il y a eu des belles choses. J'aurais bien voulu pouvoir en garder le souvenir. Mais c'est pas possible. J'aurais aimé pouvoir garder en moi quelques belles choses, dans ma mémoire.

Elle a pris son sac par terre, elle a fouillé dedans, et elle a souri. Elle tenait un petit papier.

— Tiens regarde. Je l'ai la phrase de Proust, elle est là : « De l'état d'âme qui, cette lointaine année-là, n'avait été pour moi qu'une longue torture rien ne subsistait. Car il y a dans ce monde où tout s'use, où tout périt, une chose qui tombe en ruines, qui se détruit encore plus complètement, en laissant encore moins de vestiges que la Beauté : c'est le Chagrin. » Quand je l'avais lue, je m'étais dit : « c'est ça. »

— Tu te souviens quand j'ai rencontré mon père à Strasbourg ?

— Non. Pas bien.

— Tu ne revois pas l'hôtel ? La chambre d'hôtel dans laquelle je l'ai vu la première fois ?

— Non.

— Tu revois aucun détail ? Tu ne te souviens pas que les murs étaient jaunes ?

— Non. Rien.

Elle m'a regardée l'air gêné.

— Tu n'as aucune image ?

— Aucune non. Je sais qu'on y a passé une nuit. Qu'on avait deux chambres dans le même couloir. Il était venu me voir le soir.

— Tu étais contente qu'il soit venu te voir ?

— Oui, mais il était reparti. Pas tellement tard. Il est pas resté toute la nuit. On avait repris des relations. Notamment ce soir-là. Mais, il est rentré chez lui tout de suite après.

— Le moment où je me suis jetée dans ses bras. Tu le revois pas ? La première fois dans la chambre ? Tu ne revois pas ?

— Non, pour moi il y a une espèce de rideau là. Je revois rien.

— Et le déjeuner juste après, au buffet de la gare, tu revois ?

— Non plus. Il y a un voile là-dessus.

— Il nous avait conseillé de prendre de la choucroute. Tu t'en souviens ? Rien ? La façon dont on était assis, rien ?

— Je m'en souviens pas.

— Tu te souviens de rien ?

— Je me souviens que la première fois que tu l'as eu au téléphone, à Toul, ça t'avait beaucoup marquée d'entendre sa voix. Tu t'étais mise à pleurer dans l'appareil. Parce que tu entendais sa voix.

— À quel moment ?

— Assez vite. Tu as parlé, puis tu as entendu sa voix. Et là tu as eu une réaction. Une émotion. Brusquement les larmes te sont venues. Tu ne pouvais plus parler. Puis tu t'es reprise. Vous avez pas discuté longtemps.

— Je t'ai repassé le téléphone ?

— Oui.

— Et qu'est-ce que vous vous êtes dit ? Tu t'en souviens ?

— J'ai dû discuter avec lui du fait qu'on allait s'installer à Reims...

— Et les fois précédentes. Gérardmer, tout ça... tu les revois ?

— Oui. Mieux.

— Moi je les revois pas, c'était comment ?

— Tu étais petite. Tu avais quoi ? Quatre ans. Tu étais toute contente, tu étais heureuse d'être avec lui, tu l'appelais papa. Il y a eu Lons-le-Saulnier aussi. Je te revois te promener avec nous. Je ne revois pas beaucoup de choses. Je nous revois passer la journée ensemble, nous promener tous les trois.

— Tu étais contente toi ?

— Est-ce que j'étais contente ? Je suppose. Comme à chaque fois que je l'ai vu.

— Après la rencontre à Strasbourg, il est venu nous voir à Gérardmer... Le week-end suivant... Tu t'en souviens ?

— Bien sûr.

— Là, comment ça s'était passé pour toi ? Parce que, c'est là que ça a commencé.

Son regard s'est durci. Elle a pincé la bouche.

— C'était que le début. C'était très peu, mais c'est là. Cette fois-là, pour toi, comment ça s'est passé ? Dis-moi.

— J'étais contente, comme à chaque fois que je l'ai vu. Et j'étais triste au moment du départ. On était derrière la voiture, toutes les deux, on la regardait partir. Tu as compris que j'étais triste. Et tu as eu un geste d'affection envers moi.

— Qu'est-ce que j'ai fait ?

— Je sais plus. Mais tu as eu un geste d'affection.

— Tu sais plus lequel ?

— Je crois que tu m'as touché le bras.

Elle est rentrée à Montpellier quelques jours plus tard. On a commencé à se téléphoner plus souvent, et plus régulièrement.

— Allô.

— C'est moi maman. Je te dérange ?

— Un petit peu. J'ai des invités.

— C'est pas grave, il y a rien de spécial. Passe une très bonne journée maman. Je t'embrasse.

Le lendemain, elle m'a écrit un mail.

« J'ai regretté de ne pouvoir te parler hier, mais ce n'était pas facile. La journée a été sympathique. Autrement, pas de changement, les jours continuent à s'écouler à peu près pareils.

Lors de la lecture de ton manuscrit, j'avais relevé quelques petites choses à te communiquer éventuellement. Est-ce que ça t'intéresse ? Libre à toi ensuite. Rien de très important.

Je pense bien à toi. Ces jours-ci, je revoyais la rue de l'Indre, et surtout le chemin, le jardin, le gros marronnier. Je revoyais quand je cueillais des cerises. Que je ramenais des brassées de lilas. Il y avait une forme de liberté dont je ne me rendais pas compte. Mais, trêve de nostalgie, c'est aujourd'hui et maintenant. »

Conférence à New York

J'aime bien cette phrase de Duras : « Trouver quoi écrire encore. »

Entre deux livres, j'ai toujours pensé, à un moment ou à un autre : ma mère, faire un livre où on la verrait. Où on verrait ce que c'est avoir une mère. Dire ce qu'est cet amour. Et ce qu'il devient. Écrire ce que je sais, depuis que je suis à son contact, c'est-à-dire toujours. Je pense à un tel livre depuis trente ans, depuis que j'écris. Pas un livre *sur* ma mère. Ça ce n'était pas possible.

« Vous faites un livre *sur* quoi ? » On entend souvent les gens dire ça. Je ne comprends pas, un livre *sur* quelque chose, ou sur quelqu'un, un livre au-dessus, en surplomb, le discours sur, l'auteur au-dessus de la chose. Non. Essayer d'écrire, pour moi, c'est essayer de me souvenir que j'ai été dedans. Dans les choses. À l'intérieur des moments. Sans surplomb. En train de vivre. Pas d'avoir un discours sur. *Sur* la mère c'est particulièrement impossible. Mais, à travers la connaissance que j'en ai, je voulais écrire ce que c'est avoir une mère. La percevoir en mots. Et percevoir, en mots, l'amour qu'on a pour elle. Pourquoi ? Pourquoi je voulais faire ça ? Parce que c'est l'amour qui est à la base de ceux qui viennent après.

Je pensais ce livre impossible à faire. Pas seulement à réussir. Par quel bout le prendre ? Trop difficile. Ma mère. Une femme. Un monde. Un rapport. L'amour pour la mère. Le lien dont sont tissés tous les autres liens.

Comment je fais ?

Je regarde dans ma bibliothèque.

Je rachète *Le livre de ma mère* d'Albert Cohen.

Je prends *Ma mère* de Richard Ford, je le feuillette.

Je saisis *Ma mère* de Georges Bataille, juste au-dessus de mon bureau. Je le feuillette. Je le pose.

J'ouvre Madame de Sévigné. Je lis quelques phrases d'une lettre à Madame de Grignan. Je pense à quand elle dit : « Il faudrait voir ce qui se passe dans mon cœur sur votre sujet. »

J'ouvre *Enfance* de Nathalie Sarraute.

Je pense à Marcel Pagnol. Au château de sa mère.

Je pense à la mère de Proust. Je la vois dans leur salon, avec une robe longue, pendant qu'il est dans une chambre à l'étage, essayant de dormir, avec une lampe qui projette des ombres sur les murs, des ombres qui se déplacent sur le papier peint, je vois la lumière qui filtre sous la porte pendant qu'il cherche le sommeil.

Je lis *Monsieur Proust* de Céleste Albaret. Je pense à ce que dit Céleste de son lien à sa propre mère, et de ce point commun qu'elle estimait avoir avec lui, par ce biais. Monsieur Proust qui avait compris que sa mère manquait à Céleste depuis qu'elle était venue vivre à Paris, pour rejoindre son mari chauffeur de taxi.

Je pense à Barthes. Au *Journal de deuil*. À *La chambre claire*. Au fait que c'est souvent dans la mort ou en photo que la question de la mère est abordée dans les livres.

Je cherche quelque chose que je ne trouve pas. Je me demande si *moi* je sais quelque chose à propos de l'amour maternel, et à propos de celui pour la mère. Ces deux amours qui se répondent, se font face, et qui sont décalés pourtant, dans le temps, et dans tout. Je dois savoir quelque chose, certainement, comme tout le monde. Mais quoi ? En admettant que je sache quelque chose sur la mère, quoi ?

Voilà, l'identification du sujet, avant tout, c'est : prendre conscience de ce que je sais. Écarter ce que je crois savoir. Ce qu'on m'a appris. Il y a plein de couches à retirer, de faux savoirs. Comme de faux marbres sur des colonnes à gratter, pour voir la vraie matière. Et s'il n'y a pas de vraie matière, si ça se met à fondre, parler de ce qui fond. De ce qui reste. Et s'il ne reste rien, en parler quand même. Il ne peut pas rester rien, il doit y avoir au moins une parole, un mot, un souffle.

Je me dis : au fond, on ne trouve que des encensements, *Le livre de ma mère*, *Le château de ma mère*, ou des personnages de mère-monstre, *Vipère au poing*, j'ai moi-même écrit un livre, *Les petits,* avec un personnage de mère monstrueuse, ou alors des livres de deuil, du souvenir.

Pour bien identifier mon sujet, je cherche aussi la cohérence, dans notre époque. Le règne du père qui est fini. On a vu sa domination et sa chute, comme celle d'un empire en déclin qui a fini par mourir. Le père dominateur que moi j'ai eu savait tout. Pervers, incestueux, c'était difficile à contrer. J'admirais ses connaissances, ses discours. Et puis ça a fondu comme du faux marbre sur une colonne. Dans *L'inceste*, je déclare son comportement, dans *Une semaine de vacances*, je le fais vivre au lecteur. Je m'étais rendu compte que les gens connaissaient le mot « inceste », mais qu'ils n'avaient aucune idée de la chose. Ils utilisaient le mot comme un mot étranger, vide, sans le connaître. Donc, il fallait le définir en images, et en perceptions. C'est ça faire apparaître le réel, et faire disparaître le discours. Les mots jusque-là mal agencés ou trop bien agencés qui recouvrent les choses. Je pense à Beckett dans *L'innommable* : « Je vais le leur arranger moi leur charabia. » Leur charabia c'est le discours social, la soi-disant écoute, l'injonction à dire. Alors que c'est impossible. L'injonction qui intériorise. Le réel n'est pas fait pour être dit. Il est là, il se contente de ça. Il est le vrai, c'est tout. Et comme tout ce qui est vrai, il est impossible à dire. Vous êtes obligés de vous couler, comme du plomb, dans tel ou tel discours quand vous parlez en société. Dans tel ou tel régime de parole. On est obligé de vous écouter respirer, pour entendre ce que vous dites.

Je parlais de la cohérence avec l'époque du père qui est finie. Les hommes. Leur pouvoir. Les femmes l'ont voulu maintenant elles l'ont. L'histoire de la femme. L'histoire de l'amour pour la mère. Voilà ce qu'il faut faire. Maintenant qu'elles règnent. Je me dis, oui, il faut faire ça, c'est le moment. Il faut arriver à comprendre ce qu'est une femme. D'où elle vient. La première femme que nous avons *vue* c'était notre mère.

Je dis « vue », et non pas connue, ou rencontrée. Car ça ne s'est pas passé comme ça. C'est le seul être au monde qu'on ne rencontre pas. Je n'ai jamais rencontré ma mère. On ne me l'a jamais présentée. Mon père on me l'a présenté quand j'avais treize ans, je l'avais vu deux ou trois fois avant, je n'en avais aucun souvenir. C'est mon cas, mais c'est universel. Vous naissez, et à la naissance, le médecin accoucheur, la sage-femme, disent : voilà mon bébé c'est ton papa, tenez monsieur, vous pouvez prendre votre enfant dans les bras, et parfois il coupe le cordon. La mère, on ne vous la présente pas, donc on ne peut pas écrire cet amour. Pas directement. Pas comme ça. Pas nettement. Pas crûment. Pas simplement. On ne connaît pas cet amour. On est dedans. Je suis dans elle. J'y suis née. Je suis dans la baleine. Je ne peux que la respecter, l'encenser, ou lui cracher au visage. Ou qu'elle me recrache. Mais même quand elle me recrache, je me retrouve où ? Dans la mer. Encore. Je n'en peux plus. Comment être dans la vérité de cet amour, mon premier amour qui a décidé de tous les autres ? Je me souviens que je l'ai aimée. Mais je ne sais pas vous le communiquer. À combien d'années de distance ? Dans la cour d'école j'y arrivais encore. Plus maintenant.

Je lis dans *Fragments d'un discours amoureux*, au chapitre « Seul », ce poème du Tao :
« Tout le monde a sa richesse,
moi seul parais démuni.
Mon esprit est celui d'un ignorant
parce qu'il est très lent.
Tout le monde est clairvoyant,
moi seul suis dans l'obscurité.
Tout le monde a l'esprit perspicace,
moi seul ai l'esprit confus
qui flotte comme la mer, souffle comme le vent.
Tout le monde a son but précis,
moi seul ai l'esprit obtus comme un paysan.
Moi seul je diffère des autres hommes,
parce que je tiens à téter ma Mère. »
Est-ce que quelqu'un ne se reconnaît pas dans ce poème ?

Je parle avec des gens. Tout ceci se passe au printemps. Je viens de sortir un livre. *La petite foule*. Ça se passe très bien. Quelques mois plus tard, ça se passe très bien pour le livre d'un auteur qui fait le contraire de ce que je fais. Je pense : ça ne sert donc à rien. Personne ne prend les livres au sérieux. Pour eux c'est esthétique, au mieux. Pour remédier à la déception, je veux oublier, partir, vers autre chose. Trouver quelque chose qui servira enfin, ou qui me fera oublier que ça ne sert à rien. Être de nouveau dans un livre. Ne plus être dans le régime où une chose est vraie et son contraire aussi. Où les livres ne sont que des poses successives de photos, un diaporama qui défile, une image qui chasse l'autre. Je n'approuve ni ne comprends les enjeux de ces discours enchevêtrés, qui se contredisent, et au fond s'entendent très bien entre eux, sans que personne ne semble gêné de leur fausseté.

Je veux sortir des opinions. Et créer un espace où ça ne fonctionne pas comme ça. Fondé sur la vraie perception que nous pouvons avoir des choses, qui sont là, qui sont livrées à notre faculté de les percevoir ou pas.

C'est le printemps, je suis entre deux livres, et je crois que c'est fini, peut-être qu'il n'y en aura plus. Chaque fois que j'ai voulu faire un livre où ma mère serait visible, j'ai renoncé. J'en rêvais. Par elle, celle du lecteur lui apparaîtrait, à travers l'amour que j'ai eu pour elle, et le sentiment tel qu'il est devenu. Le sentiment s'est modifié avec moi qui grandissais. Le lecteur penserait à lui et à sa mère, j'aurais réussi à extraire la généralité. Ce qui est commun se sentirait, serait perceptible. Je n'ai pas réussi. Je me dis : c'est normal, puisque je n'ai jamais rencontré ma mère, et qu'il n'y a pas eu de début. Et, je ne veux pas qu'il y ait de fin. J'ai peur de ça. De sa mort. Je me dis : je ne le supporterai pas. Je n'ai pas la moindre idée de la façon d'aborder les choses. Ça doit être impossible. Et puis, écrire un personnage sans percevoir la vie sexuelle de ce personnage, sans avoir le droit de savoir, ni envie de savoir, trouver ça même un peu... Bon. Comment faire ? Imaginer ? L'imaginer ? Comment faire, faut-il encore renoncer ? Ne pas faire ce livre ? Me dire c'est impossible ?

Le père, le social, les faits, les paroles, le charabia des discours, c'est plus facile. Alors que là, il n'y a rien. Un seul mot : on l'aime. L'enfance. Raconter que je lui écrivais des poèmes et que je faisais des dessins pour la fête des mères ? Pourquoi pas ? Mais comment ? Partir d'où ? Commencer où ? Il paraît que Barthes voulait faire un livre sur l'amour maternel avant de mourir. Il ne l'a pas fait. Il est mort. On ne peut pas faire ce livre. Un enfant, ça ne peut pas écrire. Ça se souvient mal, par morceaux, sans continuité, des lacunes, des trous, et des éclats tout d'un coup, détachés. Une phrase, un jeu, une image. Rien. Rien d'exploitable.

C'est peut-être là que ça commence, à cette conscience-là. Écrire ce qu'on sait mais qu'on ne peut pas formuler parce qu'on n'a pas l'âge, ni le mental, l'esprit pas formé. Ce serait comme soulever un poids trop lourd pour ses petits bras. Et, quand l'esprit est assez grand, assez formé, la perception est devenue trop lointaine. La retrouver ? On n'aura toujours pas la continuité. La fluidité du temps qui passe. Du présent constant.

J'essaye. Je veux y arriver. Je n'y arrive pas.

Je parle. Avec des amis. Je pose des questions. Quand ça vient dans la conversation.

Un jour je parle avec Mathieu Lindon, un ami écrivain, qui parle de son père, jamais de sa mère. Je dis à un moment, car ça s'y prête :

— Tu aimais beaucoup ta mère quand tu étais petit ?

— Ouhhfff...

Les points de suspension durent aussi longtemps que ses yeux qui partent à la dérive, à la dérive intérieure.

— Ouuhhfff...

Pas de mots. Juste ça :

— Ouuhhfff...

Ça me décide.

Je me dis il faut. Je m'obstine. Je n'y arrive toujours pas.

<u>J'essaye.</u>

Où commencer ? Commencer quand ? Le livre commence à quel moment ? Et à quel temps grammatical ?

Je regarde comment a fait Richard Ford. Ou Annie Ernaux. Eux ont réussi à s'en sortir en détachant leur mère de leur sentiment d'enfant. Je crois.

Mais, moi, je pense : peut-être que le charabia de l'enfant peut être un point de départ pour arranger le charabia général.

Ernaux, Ford ont réussi en parlant en adulte, je ne saurais pas faire ça. Je ne crois pas. Moi je voudrais que ce soit comme si la petite fille écrivait. Et puis continuait après. En grandissant. Quelque chose qui s'inspire de cette idée-là. Mais, si je reprends les poèmes que je lui écrivais à l'époque, ça ne va pas.

Je me dis :

Ce qu'il faut c'est montrer comment cet amour dirige tout, le tracer comme une ligne du début à la fin, comme une vie. Une vie en fonction de la mère, et faire apparaître tous les autres personnages comme des personnages secondaires, des figurants, qui entrent en scène, sur cette ligne. Voilà ce qu'il faut faire. J'essaye. Ça marche moyen. Je n'arrive pas à trouver le début. Ou alors je trouve un début, mais après pas la suite. Il n'y a pas de continuité, pas de pensée.

Juste des moments.

Pourquoi ?

Parce que je n'ai pas encore trouvé le fond de vérité qui mêle intime, politique, social, physique, l'instant, et ce qui est permanent, toutes ces vies de ma mère, pour fonder une équivalence avec ce qui s'est tissé entre le lecteur et sa mère. Il faut que je trouve ce lien. Quelle est sa tragédie ? De quelle folie terrestre, de quel conflit il est la trace ? Qu'est-ce qui le dévore ? Pourquoi, quand les années passent, quelque chose altère le sentiment des enfants ? Où est parti notre amour ? Notre vie pour toujours ? Est-il parti ? Je n'ai pas fait la synthèse de tout ça. Le livre est encore à l'état d'intention, et de quelques phrases que j'efface, les unes après les autres.

C'est que la vérité doit être complète. Elle ne peut pas se présenter par morceaux, il faut toute la pelote de laine. Emmêlée. Puis déroulée. Telle que l'auteur la ressent, la sait.

Lacan : Je dis toujours la vérité, pas toute. Nous, si.

Ernesto. Le personnage de Marguerite Duras dans *La pluie d'été*, qui va à l'école et quand il revient de l'école dit à ses parents : Je ne veux pas y retourner parce qu'on m'apprend des choses que je ne sais pas.

Il a raison, ce qu'on veut savoir c'est les choses qu'on sait au fond.

— J'aimais beaucoup ma mère quand j'étais petite.

Je ne sais rien dire. À part ça. Je ne sais même pas ce que c'est devenu. J'ai des traces d'elle plus ou moins sociologiques, elle travaillait à la Sécurité sociale, elle a aimé passionnément mon père, fils de bourgeois parisien, elle était mère célibataire dans les années 60, dans une petite ville de la province française, etc. Tout ça ne me donne pas sa matière humaine, mortelle, vivante.

J'écris quand même. Des bouts de trucs. Que je vais chercher dans des scènes d'enfance notamment. Ce n'est pas terrible, ça fait anecdotes, enfilades d'anecdotes, c'est ridicule, ça fait réunion de famille, c'est indécent, c'est grotesque, ce n'est pas pris dans un tout linéaire.

Il ne faut pas trop mettre les choses en scène, les laisser, comme elles arrivent dans la vie, *comme si* elles étaient en train d'arriver sur les gens. Les rendre perceptibles. Pas plus, pas moins. C'est une question de mesure, ça doit être précis, chaque mot et chaque signe de ponctuation a son rôle et son travail à faire. Les êtres, qui ont des corps, des cœurs qui battent, tout ça pris comme des mouches qui volent et se cognent aux vitres dans une pièce fermée. Sortir de la pièce. C'est ça écrire.

J'en suis là. Je me dis : ça m'ennuierait beaucoup de devoir attendre la mort de ma mère pour faire ce livre. Ce serait nul. Ce serait pathétique. Allez. Essaye. Tiens bon. Elle a quatre-vingt-trois ans, dépêche-toi. Vas-y, trouve, fais-le. Continue.

D'accord, je continue. Mais je ne vais pas faire un réquisitoire. Accumuler les accusations. Ou la défense. Rassembler les bons points, les circonstances atténuantes. Le jury. La justification. Pour qui je me prends ? Non. Ça n'aurait pas de sens. Les choses ne sont pas ça. Ce n'est pas la vie. Je me souviens comme je l'aimais quand j'étais petite. J'écris des moments plus récents : quand c'était une épreuve de lui téléphoner, de la voir, que je n'avais rien à lui dire, que je m'ennuyais avec elle. Bon. Et puis ? Quoi ? Quoi maintenant ? Rien. Rien de plus. Des effets de sincérité, pas au-delà. Des effets de témoignage, rien de mieux.

Mais je ne lâche pas.

Je ne lâche pas parce que, au fond de moi, tout au fond, je suis certaine que l'amour pour la mère est quelque chose d'inconnu, qui n'est pas dit comme il devrait l'être. Et qu'il est détruit, ou réduit, au fil du temps, dans les conflits extérieurs. Son destin, son évolution. Où va-t-il ? Pourquoi ma mère pleure, encore aujourd'hui, quand elle me raconte que ma grand-mère, qui était dans le coma à l'hôpital, a soudain ouvert les yeux, l'a vue, a serré sa main, a dit :

— Ah ma fille.

Puis elle a fermé les yeux, et elle est morte. Ma mère pleure, cinquante ans après la scène. Pourquoi ? Je veux écrire ça. Comment je fais ? Ça part d'où, ça va où ?

Je parle avec une amie. Il fait chaud. On est au mois de juin. On prend un café en terrasse. Comme ça m'obsède, je me débrouille, à un moment donné, pour lui poser une question sur sa mère. Elle l'aimait elle aussi.

Pendant tout ce temps, je n'appelle pas ma mère. Mais je n'arrête pas de penser à elle. La nuit, le jour. Et quand je m'endors. J'y pense trop. J'ai peur, si je l'appelais, que ça me déconcentre. Qu'elle me remette dans son discours, que je réponde avec le mien. Et qu'on soit dans le faux. Je lui envoie un texto pour lui dire que ce n'est pas parce que je ne l'appelle pas que je ne pense pas à elle : « si tu savais. »

Je pense à un diptyque. Mon père. *L'inceste*. *Une semaine de vacances*. Et elle ? Rien pour elle ? Pourquoi la reléguer ? La sacrifier parce que c'est plus difficile ? Non. Je ne peux pas laisser un trou à la place de ma mère dans mes livres. Ne laisser que des allusions, des vides. Il faut faire exploser cette idée, qui est devenue une idée reçue, de la mère complice. Qui a succédé à la mère angélique de Marcel Pagnol et d'Albert Cohen. Bref. S'attaquer aux choses.

Tout nuancer, reprendre l'éclairage. En partant de la nuit noire.

Dans *Les petits*, la mère est au-dessus de tout soupçon, en dépit de sa perversion. Mais, il y aussi la mère qu'on aime et qu'on n'arrive plus à supporter. C'est celle-là que je veux écrire maintenant.

Je suis décidée. J'ai décidé de ne pas lâcher. Mais j'ai des moments de rage. Quand je pense par exemple au mal que mon père lui a fait et qu'elle a encaissé. Elle avait si peu confiance en elle, elle était si certaine, au fond, que ça ne pouvait pas se passer autrement, qu'il lui était supérieur, parce que socialement il l'était. Une rage me prend. Une rage folle. Je pense à certaines scènes entre elle et lui. Je les écris. Quand je les relis, je hurle. Ma mère, juive, mon père, antisémite comme tous les grands bourgeois de ces années-là, l'après-guerre en France, qui ne s'est d'ailleurs jamais vraiment terminé.

Je pense à la conférence de Wannsee, en 42. Les nazis voulaient définir les termes précis de la Solution finale. La question a été posée à Himmler : Oui, d'accord, on tue les Juifs, mais, pourquoi les enfants ? Faut-il vraiment les tuer aussi ?

Himmler répond : Oui il faut les tuer, sinon il faut s'attendre à ce que plus tard ils cherchent à venger leurs parents.

Je pense à ça, au cours d'une séance d'analyse, la vengeance, j'en sors en larmes.

En juillet j'ai rendez-vous avec mon éditrice. J'ai l'air radieux, car, même si je n'y arrive pas encore bien, j'y crois, et je n'ai pas lâché. J'ai déjà quelques pages, pas au point, mais je veux le faire ce livre. Je lui dis :

— Je veux faire ça. J'ai commencé mais je cale.

Elle me parle d'une chanson de Moustaki qui l'a fait pleurer l'autre jour au volant de sa voiture, *Les mères juives*, qui passait à la radio. Je l'écoute en rentrant. La chanson raconte l'attachement de l'enfant, l'énervement de l'adolescent, la culpabilité du jeune homme, l'ennui de l'homme qui rend visite à sa mère, puis la mort de sa mère. Qui n'est plus là pour le déranger, et lui parler de choses qui ne l'intéressent pas. C'est à ce moment-là que mon éditrice a pleuré.

Tout le monde sait de quoi je parle. Mon éditrice. Mathieu Lindon. Mes amis. Himmler. Tout est là : je sens. Mais, pour l'instant : je suis face au flou.

Une des difficultés, face au flou général, c'est le flou de l'enfance. Seul le jeu était précis et réglé. Tout le reste était flou, comme si on n'était pas concerné.

Autre difficulté : le passage des âges, la transformation de soi, des liens avec les autres. Comment ne pas avoir l'air factice sur tout ça. Je ne vais pas poser des dates sèches et mortes les unes à côté des autres. Comment grandir dans un livre ? Grandir comme dans le réel, c'est-à-dire imperceptiblement ?

Alors prendre les choses une par une. Les difficultés, le flou, le passage des âges. Et à côté, les discours qu'on nous sert complètement à côté de la plaque. Et personne qui ne relève. Par habitude sans doute. Ou par flemme. Je ne sais pas. Ou alors, je suis la seule que ça gêne. Non. Pas possible.

Je me dis : Je vais poser des questions à ma mère, quand je la verrai, elle doit venir à Paris en août.

Maintenant que je suis sûre que c'est un sujet commun à nous tous, quelles correspondances vont permettre au lecteur de savoir que lui et moi connaissons la même chose ? Que nous sommes, donc, de la même race.

Comment je fais ?

<u>Une petite cloche.</u>

Une amie universitaire, Laure Murat, qui enseigne à UCLA, m'a dit un jour : Il m'arrive d'entendre une petite cloche sonner quand je te lis, une petite cloche qui me dit « oui, c'est ça ». Je lui demande ce qu'elle voulait dire. C'est quoi cette petite cloche. Que dit-elle ?

« Chère Christine,

La petite cloche. Eh bien, la petite cloche, quand elle sonne, elle me dit : "C'est ça." Ça quoi ? Une forme d'exactitude dans le rapport de la chose et du mot, de l'objet et de son identification par la langue. Un peu comme un alignement de planètes. C'est "ça" et rien d'autre. C'est "ça" parce que ça ne peut rien être d'autre.

Victor Hugo, *Les travailleurs de la mer* :

"Au milieu de cette viscosité il y avait deux yeux qui regardaient.

Ces yeux voyaient Gilliatt.

Gilliatt reconnut la pieuvre."

Voilà, tu vois, c'est ça. Regarder, voir, reconnaître. C'est visqueux, et c'est un duel d'une précision sans équivalent. On n'est pas dans la description, mais dans la perception. »

Perception, elle emploie le même mot que moi.

Bon, très bien, mais là, ma cloche elle est sourde, elle est en bois et le battant aussi, rien ne sonne. Pourquoi ? Les phrases sont très bien, je sais à peu près écrire, quoique, de toute façon c'est pas le problème. Alors qu'est-ce qui ne va pas, pourquoi ça ne démarre pas comme un train qui irait jusqu'au bout ?

Je sonne faux, comme un discours qui me plombe les épaules. Je suis lourde. Sur la page, je ne vois que des phrases. Des phrases, des mots, des virgules, des commentaires. Sûrement pas de la littérature. C'est-à-dire, du réel versé dans la tête du lecteur par les mots et la ponctuation. Et par l'équilibre des transferts de perceptions.

Un jour j'ai une idée, j'en suis très fière, je me réveille avec une phrase en tête :

« J'ai été conçue au cours d'une semaine de vacances à Beaulieu-sur-Mer. » Voilà ma phrase.

Je suis dans mon lit. Je me lève. J'allume mon ordinateur. Et je tape :

« J'ai été conçue au cours d'une semaine de vacances à Beaulieu-sur-Mer. » Deux ou trois pages viennent dans la foulée. Je suis très contente. Ça coule. Il y a plein de choses intéressantes dans ces pages.

Je crois que je viens de créer un lien avec mes lecteurs. Un lien qui passe par mon livre *Une semaine de vacances*, je trouve ça à la fois concret, et littéraire. « J'ai été conçue au cours d'une semaine de vacances à Beaulieu-sur-Mer. » Vous me suivez ? C'est un clin d'œil. J'en suis fière. Est-ce que vous me répondez ? *Une semaine de vacances* racontait une semaine de domination sexuelle d'un personnage masculin sur un personnage féminin, jusqu'à, panique, on découvre que la fille est très jeune et qu'elle appelle l'homme « papa », à la demande de l'homme, on est déjà à la page 20, trop tard pour se ressaisir, ceux qui étaient déjà un peu excités en sont pour leurs frais, ça peut être un jeu se disent-ils, mais ceux qui ont lu mes autres livres savent que ce n'en est pas un. Le lecteur se glace. Avec « J'ai été conçue au cours d'une semaine de vacances à Beaulieu-sur-Mer », j'ai l'impression de tracer une ligne entre père, mère, auteur et lecteur.

Bien sûr, je m'illusionne. Pauvre idiote. Ton petit tour de passe-passe est minable. Ce n'est pas ça écrire, pauvre fille. Ton clin d'œil est nul, en littérature on ne s'en sort pas avec un clin d'œil, pas plus que dans la vie. On ne peut pas faire à l'économie. Tu comptes venir à bout de l'amour pour la mère avec ce genre d'artifices ? Mais, je reste quand même près d'un mois dans cette illusion. Et j'essaye de caracoler avec ma phrase en guise de loco-motive. Comme si un clin d'œil pouvait aller quelque part. Et faire rentrer le réel dans un filet à papillons troué. Je ne risque pas d'y arriver.

Ma mère est là.

C'est le mois d'août. Il fait très chaud à Paris. On se voit. Je lui demande si je peux lui poser quelques questions. Première découverte, je n'ai pas été conçue, comme j'avais cru le comprendre, à Beaulieu-sur-Mer. Mais à Châteauroux...

Je suis encore attachée, comme une imbécile, à ma phrase et aux dix ou quinze pages qu'elle tracte. Je m'accroche, je me dis, je vais m'arranger. Qu'est-ce qui empêche l'enfant de ma mère dans le livre d'avoir été conçue à Beaulieu-sur-Mer ? Rien.

Mais on ne s'arrange pas comme ça avec la vérité, en fait mon château de cartes est en train de s'écrouler.

Je lui pose plein de questions. Je l'écoute. Je ne suis plus moi. Je ne suis plus que « avec elle ». Dans la contemplation. Comme quand j'étais petite. Quand je n'existais pas. Ça y est. Ça recommence. Je retrouve ça. Je retrouve : le regard absolu, et moi n'existant pas. Écrire c'est ça.

Je l'écoute. Je savais qu'elle avait rencontré mon père dans une cantine, je ne savais pas que, la première fois qu'ils sont allés danser, il l'a invitée, et que, quand ils sont arrivés sur la piste, l'orchestre s'est mis à jouer : « Notre histoire c'est l'histoire d'un amour ». La chanson de Dalida.

Je me dis : je vais écrire ces trois jours d'été avec elle, et ça sera ça mon livre.

Etc.

Est-il besoin de préciser que ça n'a pas marché non plus ?

Rome.

Je pars à Rome.

Chaque fois que je parle avec quelqu'un, on parle du sentiment de la personne pour sa mère. Souvent, les gens sont étonnés, un peu gênés, même des amis que je connais bien. Tout d'un coup, sur le sujet, leur visage change. Puis quelque chose s'illumine sur leurs traits, qui semble venir de loin, de l'intérieur d'eux ou du passé, qui n'était pas destiné à être partagé. Puis, passé la surprise et la gêne, ils deviennent intarissables. Une amie… Une commerçante… Etc. Ou alors, des refus. Des : « Ma mère c'est ma mère. » Ou des : « Bien sûr que je l'aimais. » Ou : « Je sais pas si je l'aime. » Ou : « Si c'était pas ma mère, je l'aimerais. » Ou : « Si c'était pas ma mère, jamais je fréquenterais une femme comme elle. » Etc. Vous connaissez ça aussi bien que moi.

Car ce qu'il faut, c'est se consacrer à écrire quelque chose que vous connaissez aussi bien que moi. Quelque chose qu'il ne vous intéresse pas, vous, de formuler. Sinon je n'aurais pas à le faire. Vous n'avez pas envie. Ce n'est pas digne d'intérêt. Trop réel. Trop su. Trop connu. Déjà réglé par trop de discours.

Le réel, pour Victor Hugo, c'était la pieuvre, pour Duras, la nuit. Je vois plutôt un brouillard, un entremêlement, un embrouillamini, un désordre. Et pourtant, une certitude : tout le monde sent ce brouillard, si quelqu'un essayait de le dissiper, tout le monde reconnaîtrait l'enchaînement du vrai. Et tout le monde serait heureux. Puisque démêler le vrai, ça fait du bien. Ce vrai qui est trop visqueux pour être formulé dans la vie sociale, normale, efficace, utile, où on a surtout besoin de mentir pour s'adapter.

Je suis à Rome. Je vois encore un peu de brouillard, à ce stade, mais moins. Je mets un bureau dans ma chambre. La chaise est trop raide, je mets un coussin. Il y a un peu trop de soleil, je pousse le volet.

Je ne suis pas seule dans la pièce. Un homme est là, il dort le matin, aux heures où je travaille. Je fais comme s'il n'était pas là. Je suis comme seule.

On se promène dans les rues, en fin d'après-midi. Un chanteur pousse la voix au son d'un accordéon, à un angle de rue. Il chante : « Notre histoire c'est l'histoire d'un amour ». De Dalida.

Je reste debout à distance. Je ne bouge plus. Je pleure. L'homme avec qui je suis ne comprend pas ce qui m'arrive. Je n'explique pas.

Je finis par laisser tomber Beaulieu-sur-Mer, je commence par : ma grand-mère, ce que je crois avoir été l'enfance de ma mère, ça ne va pas, évidemment, je prends quelques scènes phares qu'elle m'a racontées, la fois où elle est dans le jardin et que son père lui dit que ses cousins sont formidables, et qu'elle est bête, ignorante, laide… Je ne m'en sors toujours pas. Je n'arrive pas à faire le pont temporel entre les scènes, ça fait fragments,

fragments inintéressants, petites touches.
C'est nul. Je galère comme ça jusqu'à la fin
du mois d'août quasiment. Je me dis : Je vais
être obligée d'arrêter. On ne peut pas écrire le
vrai de la relation à la mère et son évolution.
Je n'y arriverai jamais.

Et puis un matin.
Je suis encore à Rome, j'écris :

Mon père et ma mère se sont rencontrés
à Châteauroux, près de l'avenue de la Gare,
dans la cantine qu'elle fréquentait, à vingt-
six ans elle était déjà à la Sécurité sociale
depuis plusieurs années, elle a commencé à
travailler à dix-sept ans comme dactylo dans
un garage, lui, après de longues études, à
trente ans, c'était son premier poste. Il était
traducteur à la base américaine de La Martinerie. Les Américains avaient construit entre
Châteauroux et Levroux un quartier, qui
s'étendait sur plusieurs hectares, de petites
maisons individuelles de plain-pied, entourées de jardins, sans clôture, dans lesquelles
les familles des militaires vivaient. La base
leur avait été confiée dans le cadre du plan
Marshall, au début des années 50. Quelques
arbres y avaient été plantés, mais quand on
passait devant, de la route, on voyait une
multitude de toits rouges à quatre pentes,
disséminés sur une large plaine sans obstacle. À l'intérieur de ce qui était un véritable
petit village, les allées, larges et goudronnées,
permettaient aux habitants de circuler dans
leur voiture au ralenti, entre les maisons et

l'école, les bureaux et la piste d'atterrissage. Il y avait été embauché à sa sortie du service militaire, il n'avait pas l'intention de rester. Il était de passage. Son père, qui était directeur chez Michelin, voulait le convaincre de travailler pour le Guide Vert, lui se voyait bien faire une carrière de chercheur en linguistique, ou d'universitaire. Leur famille habitait Paris depuis des générations, dans le XVIIe arrondissement, près du parc Monceau, était issue de Normandie. De père en fils on y avait souvent été médecins, on y était curieux du monde, on y avait la passion des huîtres.

Il l'a invitée à prendre un café. Et quelques jours après à danser. Ce soir-là, elle devait aller à un bal dit « de société » avec une amie. Organisés par un groupe ou une association qui louait un orchestre et une grande salle, les bals de société, à la différence des dancings, fréquentés des Américains mais aussi des prostituées, attiraient les jeunes gens de Châteauroux, celui-là avait lieu dans une grande salle d'exposition de la route de Déols, le parc Hidien. Mon père n'en avait pas l'habitude.

— Oh moi je ne vais pas dans ce genre de chose... Nous sortirons ensemble un autre soir. Je vais rester chez moi. J'ai du travail...

Elle y est allée avec son amie, Nicole, et le cousin de celle-ci. La soirée était déjà bien entamée quand, au loin à travers la foule, elle l'a vu se frayer un chemin. Il avançait vers leur table. Il l'a invitée à danser, elle s'est levée, elle portait une jupe blanche avec une ceinture large. Ils se sont faufilés en direction de la piste, en arrivant sur le parquet il a souri, elle était prête à se glisser dans ses bras, il a pris sa main pour la guider, et la faire évoluer parmi les danseurs. À ce moment-là l'orchestre s'est mis à jouer les premières mesures de : « Notre histoire c'est l'histoire d'un amour ».

C'était une chanson qu'on entendait partout. Dalida venait de la créer. Elle la chantait avec intensité, en mêlant le tragique à la banalité. Son accent oriental arrondissait les mots, les étirait en même temps, sa voix grave enveloppait les sons et leur donnait une substance particulière, l'ensemble avait quelque chose d'envoûtant. Et pour mieux emporter les gens, la chanteuse de l'orchestre se coulait dans l'interprétation d'origine.

« Notrre histoirreu, c'est l'histoireu d'un ammourr

Eterrrnell et banall qui apporrrteu, chaqueu jourr

Tout le bien tout le mall... »

Ils ne se parlaient pas.

« C'est l'histoirrreu qu'on connaît... »

La piste était pleine, c'était une chanson très connue.

« Ceux qui s'aimment jouent la mêmme, je le sais

Ma complainneteu c'est la plainneteu, de deux cœurrs

C'est un roman comme tant d'autrres, qui pourrait être le vôtrre

C'est la flamme qui enflamme, sans brrûler

C'est le rrêve queu l'on rrêve, sans dorrmirr

Monne histoirreu c'est l'histoirreueu... d'un... ammourr. »

Pendant toute la chanson, ils se sont tus.

« ... avec l'heurrre où l'on s'enlace, celle où l'on seu ditttadieu

Avec les soirées d'angoisssse, et les matins... merrrveilleux...

Et trrragique ou bien profonnedeu, c'est la seule histoirrre du monnedeu,

Qui ne finirrra jamais

C'est l'histoirreu d'un ammourrr... »

Ils ne se regardaient pas.

« ... mais naïve ou bien profonnedeu, c'est la seule histoirre du monnedeu,

Notrre histoirreu c'est l'histoirreueu... d'un ammourrrr. »

La chanson s'est terminée. Ils ont repris de la distance. Et ils ont retraversé la salle en direction de la table. Elle lui a présenté Nicole et son cousin.

Et là ça a démarré.

J'ai eu de grosses difficultés. Il fallait que l'identification se fasse avec elle. J'étais la narratrice, mais il ne fallait pas qu'on voie par mes yeux. Au début, de toute façon, je ne suis pas née. Et ensuite pas en âge de faire des commentaires. Il fallait voir les choses arriver sur elle. Et moi, là, pas loin. Où ? C'était la difficulté. Car je suis où ? Je ne suis pas née pour l'instant. Je suis peut-être contenue dans la fameuse petite graine dont on parle aux enfants. Et puis je nais, et je ne la quitte plus.

Quand j'étais petite, je voulais voyager. Mon rêve c'était l'Amérique, je lui disais :

— Quand je serai grande maman, j'irai en Amérique, et je t'emmènerai, tu viendras avec moi ?

Aujourd'hui, je suis à New York. Je prononce cette conférence, je suis devant vous, et elle n'est pas là. Je ne l'ai jamais emmenée. On n'a jamais fait ce voyage.

11522

Composition
NORD COMPO

Achevé d'imprimer en Espagne
par CPI Black Print
le 7 septembre 2021.

1er dépôt légal dans la collection : août 2016
EAN 9782290129906
OTP L21EPLN002014A004
ÉDITIONS J'AI LU
87, quai Panhard-et-Levassor, 75013 Paris

Diffusion France et étranger : Flammarion